Bernhard Badura
& Jürgen Reese

Jungparlamentarier in Bonn – ihre Sozialisation im Deutschen Bundestag

problemata
frommann-holzboog 55

Herausgeber der Reihe „problemata“: Günther Holzboog

ISBN 3 7728 0612 0 (Ln) - ISBN 3 7728 0613 9 (Br)

Die vorliegende Untersuchung ist ein Beitrag zur empirischen Analyse politischer Institutionen in der Bundesrepublik Deutschland. Sie behandelt das Problem politischer Anpassung von Jungparlamentariern aus sozialisations- und organisationstheoretischer Perspektive. Befragt wurden 49 MdBs unmittelbar bei Beginn ihrer parlamentarischen Arbeit (1969) und drei Jahre später, kurz vor der Auflösung des VI. Deutschen Bundestages (Panel-Studie).
Die ermittelten Befunde deuten auf die ungebrochene Integrations- und Kooptationskraft unserer politischen Institutionen und auf den Einfluß der herrschenden Subkultur in politischen Entscheidungszentren. Im einzelnen werden untersucht:
Kulturelle Determinanten parlamentarischer Willensbildung; Grenzen des „social background-Ansatzes" in der Elitenforschung; das Sozialisationssystem des Deutschen Bundestages; fraktionsspezifische Varianten. Besondere Beachtung findet das Problem der zunehmenden Verselbständigung der Gewählten gegenüber ihren Wählern. Die Verfasser kommen zu dem Schluß, daß dieser Sachverhalt in Verbindung mit einer zunehmenden Bürokratisierung parlamentarischer Arbeit die Parlamentarismustheorie zu einer grundsätzlichen Neubestimmung des Verhältnisses Parlament—Gesellschaft und Parlament—Regierungsbürokratie zwingen.
Im Hinblick auf Methode, Fragestellung und Ergebnisse liegt eine vergleichbare Untersuchung in der Bundesrepublik bis jetzt noch nicht vor.

This study is a contribution to the empirical analysis of political institutions in the Federal Republic of Germany. From the standpoint of socialization theory and the theory of organizations, it deals with the problem of the political adaptation of new members of parliament. In a panel study, 49 new members of the West German Bundestag were interviewed immediately after they had been elected in 1969 and again three years later, shortly before the 6th Bundestag was dissolved.
The data show that the political institutions in West Germany retain their integrative and co-optative power and that the dominant parliamentary sub-culture is highly influential in the centres of political decision-making. In particular, the study examines the cultural determinants of parliamentary decision-making, the limits of the 'social background approach' in the study of elites, the socialization system of the Bundestag, and variants between the different parliamentary fractions. Special attention is paid to the problem of the increasing independence of the elected from their electorate. The authors conclude that this tendency toward independence, together with the increasing bureaucratization of parliamentary work, shows the need for a thorough re-appraisal of the relationship between parliament and society, as well as the relationship between parliament and government bureaucracy. No previous work available in West Germany compares with this study in the approach on which it is based, in the methods used, and in the results obtained.

Inhalt

Vorbemerkung

Die zweite Hälfte der sechziger Jahre war auch in der Bundesrepublik eine politisch bewegte und Politik bewegende Zeit. Was als Kritik engagierter Studenten an ihrer Studiensituation begann, endete schließlich in der außerparlamentarischen Opposition, in Straßenschlachten und Versuchen zur gewaltsamen Änderung des status quo. Einigermaßen überraschend kamen diese Ereignisse nicht nur für das Publikum im Nachkriegsdeutschland, sondern auch für dessen professionelle Beobachter: die politischen Soziologen dieser Zeit. Jürgen Habermas und seine Koautoren hatten in ihrer anfang der sechziger Jahre erschienenen Studie über „Student und Politik" das politische Potential westdeutscher Studenten eher skeptisch beurteilt. Der sozialwissenschaftliche Befund studentischer Einstellungen und Aktivitäten fügte sich ihrer Auffassung nach relativ bruchlos in das allgemeine Bild einer politisch weitgehend apathischen, eher nach „rechts" als nach „links" tendierenden, ansonsten überwiegend ökonomisch motivierten und privatistisch orientierten Nachkriegszeit. Auch Ralf Dahrendorf kam in seiner 1965 erschienenen Arbeit über „Gesellschaft und Demokratie in Deutschland" zu einer, zumindest was diese Punkte betrifft, rückblickend betrachtet kaum zutreffenderen Einschätzung, wenn er schreibt:

„Die große Zahl der Menschen verzichtet wissentlich auf die Teilnahme am politischen Prozeß. Wesentlich Neues geschieht nicht; die Verwaltung des Alten erweckt aber nicht das Interesse der Betroffenen" (S. 477).

Auch bei Dahrendorf fehlt jeder deutliche und ausgearbeitete Hinweis auf den sich ziemlich unmittelbar nach Erscheinen seiner vielbeachteten Untersuchung anbahnenden rapiden Wandel im öffentlichen Bewußtsein der Bundesrepublik in der zweiten Hälfte dieses Jahrzehnts. Mittelfristig treffsichere Prognosen sozialer Prozesse (social forecasting) und angemessene Deutung längerfristiger zukünftiger Entwicklungen gehören zu den praktisch relevantesten, theoretisch und technisch leider aber schwierigsten und riskantesten, nicht zuletzt deshalb auch reizvollsten Herausforderungen der modernen Sozialwissenschaften. Die vorliegende Untersuchung versteht sich als Beitrag zu dieser Unternehmung.
Für die Angehörigen bundesrepublikanischer Universitäten jener Tage bedeuteten Protestbewegung, Hochschulreform und außerparlamentarische Opposition nicht nur eine Herausforderung für die alltägliche Lehr- und Ver-

waltungspraxis; sie bedeuteten auch eine Herausforderung für ihre Forschungspraxis. Was waren die Ursachen dieser neuen Entwicklungen? Waren sie Ausdruck längerfristiger struktureller Wandlungen hochindustrialisierter Gesellschaften insgesamt? Waren sie typisch nur für liberalkapitalistische Länder? Oder waren sie bedingt durch spezifisch regionale Faktoren und Entwicklungsprozesse? Welche Konsequenzen mußten sich aus all dem für die Universität, für die Gesellschaft ergeben?

In einem Seminar an der neugegründeten Universität Konstanz versuchte im Wintersemester 68/69 eine kleine Gruppe überwiegend postgraduierter Studenten unter der Leitung von Ralf Dahrendorf insbesondere der Frage nach den möglichen Erfolgsaussichten des von Rudi Dutschke ausgerufenen „Langen Marsches durch die Institutionen" nachzugehen. Wir arbeiteten uns zu diesem Zweck durch herkömmliche politische Theorien und soziologische Befunde und kamen schließlich zu einer eher skeptischen Beurteilung der realen Erfogsaussichten einer derartigen, in ihren Zielvorstellungen revolutionär gemeinten Reformstrategie. Für dieses Resultat ausschlaggebend waren vor allem die für uns nach wie vor relevanten Einsichten zweier Klassiker der modernen Organisationssoziologie: Robert Michels „ehernes Gesetz der Oligarchie" und Max Webers Beschreibung der „Veralltäglichung" charismatischer Bewegungen. Ermutigt und gefördert durch den Seminarleiter entstand dann im Frühjahr 1969 der Entwurf für ein größeres Forschungsprojekt, das — anknüpfend an aktuelle Probleme — unter Verwendung moderner Ansätze und Forschungstechniken Möglichkeiten und Grenzen gesellschaftlichen Wandels in einer verwalteten Welt zu untersuchen beabsichtigte. Tatsächlich durch- und zu Ende geführt wurden nur Bruchstücke dieses ehrgeizigen Vorhabens, darunter die vorliegende Studie über die sozialisierende Wirkung der Organisation Deutscher Bundestag bei Neuparlamentariern.

Ist der „Lange Marsch durch die Institutionen" unter den gegebenen Umständen und in absehbarer Zukunft eine Erfolg versprechende Strategie? Die vorliegende Untersuchung kommt zu einem Ergebnis, das viele mit Bedauern, die überwiegende Mehrheit in unserer Gesellschaft vermutlich mit Erleichterung zur Kenntnis nehmen dürften: *Die Integrations- und Kooptationskraft unserer politischen Institutionen scheint* — gemäß unserer Befunde — *weit stärker ausgeprägt zu sein als die Ereignisse der 60er Jahre zunächst haben vermuten lassen.* Für die praktische politische Arbeit folgt u. E. daraus, daß Gesellschaftsreform nicht nur an bestehenden Institutionen, sondern auch an dem in diesen Institutionen herrschenden Bewußtsein anzusetzen hat. Für die politische Theorie und die politisch-soziologische Forschung folgt u. E. daraus, daß soziokulturelle Faktoren — tradierte Bewußtseins-, Orientierungs- und Verhaltensformen — nicht mehr länger, wie dies gegenwärtig hierzulande der Fall ist, nur als residual oder nachrangig behandelt werden dürfen.

Die Autoren sind zahlreichen Personen und Organisationen zu Dank verpflichtet, allen voran Ralf Dahrendorf und den Teilnehmern des genannten Konstanzer Seminares, die in selbstlosem Einsatz und unter starkem Zeitdruck an der Entwicklung des Fragebogens und der Durchführung der ersten Befragungswelle mitwirkten. Wir danken Uta Gerhardt, Gabriele Kuby, Marianne Layer und Claus Vogel. Ralf Dahrendorf muß noch einmal gesondert gedankt werden für die großzügige Bereitstellung seiner Forschungsmittel. Ferner haben Reinhard Krawulsky und Friedhelm Wollner einen erwähnenswerten Anteil an dem Gelingen des Projektes. Besonderer Dank gebührt auch der Verwaltung des Deutschen Bundestages, die angesichts der vorzeitigen Auflösung des VI. Bundestages kurzfristig Mittel zur Durchführung der zweiten Befragungswelle zur Verfügung stellte.

Einleitung: Zur kulturellen Determination politischer Prozesse

Die Theoriediskussion in den Sozialwissenschaften hat über viele Jahre hinweg unter teilweise dogmatisierten Ausschließlichkeitsansprüchen — sei es „neomarxistischer", sei es „bürgerlicher" Ansätze — gelitten. Die Möglichkeit ihrer jeweils nur eingeschränkten Gültigkeit, ihrer problem- und/oder phasenspezifischen Komplementarität wurde nur selten oder gar nicht erwogen. Als theoretisch gänzlich abwegig galten offensichtlich auch Fragen, die sich auf Interpretationslücken sowohl des einen als auch des anderen Entwurfs bezogen. Neomarxistische Autoren und auch nichtmarxistische Wirtschaftswissenschaftler konzentrierten sich auf „ökonomische" Variablen und die Eigendynamik des Wirtschaftssystems. *Beide* schenkten kulturellen Traditionen, Interaktionsmustern und Sozialisationsprozessen wenn überhaupt, dann nur marginale Aufmerksamkeit. In mehr oder weniger explizitem Gegensatz dazu widmete sich eine zweite Gruppe — überwiegend Anthropologen, Soziologen und Politikwissenschaftler — entweder aus ethnographischer, system-, konflikt- oder gruppentheoretischer Perspektive vorwiegend nichtökonomischen, „sozialen" oder „kulturellen" Faktoren und deren Eigendynamik.

Eine weniger in der deutschen als in der angelsächsischen Soziologie heute noch spürbare Bedeutung kam dabei den Arbeiten von Parsons und Dahrendorf zu. Vor allem Dahrendorf hatte durch seine Trennung in Marx „den Ökonomen" und Marx „den Soziologen" wesentlich zu der hier angesprochenen Entwicklung beigetragen [1]. So naheliegend eine derartige Unterscheidung damals gewesen sein mag, so sehr zwingt die Differenziertheit und Verflochtenheit gesellschaftlicher Probleme heute zu einer Reinterpretation und zu einer teilweisen Reintegration bislang weitgehend voneinander isolierter Überlegungen. Vor allem zwingt sie uns zunächst einmal zur Einsicht in die Eigenselektivität theoretischer Entwürfe und in die Mehrdeutigkeit sozialer Realität. Sie zwingt uns weiter zur Reflexion nicht nur der wissenschaftstheoretischen Begründbarkeit und heuristischen Nützlichkeit bestimm-

1 *R. Dahrendorf,* Class and Class Conflict in Industrial Society, Stanford 1959, Part One.

ter Ansätze, sondern auch zur Reflexion ihrer Grenzen. Sie zwingt uns schließlich zum Neuüberdenken einer gleichfalls durchaus nicht neuen Einsicht, daß reale Probleme meist nicht den Grenzen etablierter Disziplinen folgen und deshalb interdisziplinäre Behandlung erfordern. Es gilt, den instrumentalen Charakter von Theorie zu betonen und daran zu erinnern, daß kein apriori-Zusammenhang besteht zwischen gesellschaftlichen Problemen und wissenschaftlichen Strategien ihrer Bearbeitung.
In der Bundesrepublik neigen Theoriediskussionen wie etwa die zwischen Popper und Adorno [2] oder die zwischen Luhmann und Habermas [3] zu einer eigentümlichen Verselbständigung. Während noch zu Zeiten Max Webers im Verein für Sozialpolitik Methodenfragen stets in engem Zusammenhang mit der Diskussion sozialpolitischer Probleme standen, fehlt eine derartige praktische Motivation im Positivismusstreit der deutschen Nachkriegssoziologie völlig. Ein nahezu gänzlicher Verzicht auf historisch-induktive Argumente, auf konkrete Einzelfallanalysen oder empirische Befunde kennzeichnet auch die „Luhmann-Habermas-Kontroverse" [4]. Außerordentliches Unbehagen muß sich zwangsläufig dort einschleichen, wo das Messer nur noch gewetzt, aber nicht mehr mit ihm geschnitten wird, wo „Theoriediskussionen" in sich selber (um nicht zu sagen: um sich selber) kreisen — weit entfernt von der Entwicklung gesellschaftlicher Probleme und damit weit entfernt von ihrer Diagnose und den Möglichkeiten ihrer Therapie

1. Theoretische Ortsbestimmung

Seit dem 19. Jahrhundert gehört die Frage nach den treibenden Kräften gesellschaftlicher Entwicklung zum Kernbereich sozialwissenschaftlichen Problembewußtseins. Im Vordergrund stand dabei meist die Eigendynamik des ökonomischen Systems, standen ökonomische Variablen (wie Angebot, Nachfrage, Preisentwicklung, Lohnentwicklung) und ökonomische Zielvorstellungen (wie Gewinnmaximierung und das sogenannte magische Viereck der

2 *Th. W. Adorno et alts.*, Der Positivismusstreit in der deutschen Soziologie, Neuwied 1969.

3 *J. Habermas/N. Luhmann,* Theorie der Gesellschaft oder Sozialtechnologie, Frankfurt 1971.

4 ebd.

Wirtschaftspolitik). Politische Ökonomie, in Deutschland lange Zeit Nationalökonomie und jetzt Wirtschaftswissenschaft genannt, galt und gilt auch noch heute weithin als anerkannteste, von Politikern vornehmlich zu Rate gezogene Sozialwissenschaft, nicht zuletzt deshalb, weil auch Nichtökonomen weithin ein derartig ökonozentrisches Gesellschaftsbild teilten. Seine reale Basis hatte es also nicht nur in den wirtschaftlichen Schwierigkeiten und Opfern der Industrialisierung, sondern auch in einer nicht weniger augenfälligen Programmierung der Gesellschaft nach Maßstäben ökonomischer Handlungsimperative und nach Leitbildern der Wissenschaft vom Wirtschaften.

Mittlerweile zeichnet sich hier indessen eine deutliche Wende ab. Immer häufiger und intensiver werden Sinn und Legitimität einer Konzentration auf ausschließlich ökonomische Indikatoren, ökonomische Variablen und wirtschaftspolitische Ziele in Frage gestellt. Theoretisch uneerwartete Probleme (wie anhaltende Inflation bei gleichzeitig steigender Arbeitslosigkeit) und eine wachsende Bedeutung der Dienstleistungsproduktion zwingen zunehmend auch die Wirtschaftswissenschaft zur Überprüfung ihrer klassischen Instrumente. In diesem Zusammenhang sollte auch das weitverbreitete ökonozentrische Gesellschaftsbild einer eingehenden Kritik unterzogen werden, vor allem die Auffassung: ökonomische Variablen seien stets und bei allen relevanten Problemen diee „letztlich" unabhängigen, politische einem solchen monodynamischen vertreten wir einen polydynamischen Ansatz. Ökonomische, soziokulturelle und politische Variablen repräsentieren u. E. verschiedene Dimensionen gesellschaftlicher Determination. Was jeweils als abhängige, was als unabhängige Variable angesehen werden muß, hängt dabei ab von der Art und dem jeweiligen (zeitlichen) Stand der konkret untersuchten gesellschaftlichen Problementwicklung [5]. Während ökonomische oder technologische Faktoren heute vermutlich mehr noch als früher als *Haupterzeuger gesellschaftlicher Probleme* angesehen werden müssen, gilt es soziokulturelle und politische Variablen dann zu berücksichtigen, wenn

5 Die u. E. bislang brillanteste Kritik des ökonozentrischen Gesellschaftsbildes und einer daran orientierten Politik enthält der als „Brooks-Report" bekannt gewordene OECD-Bericht über „Science, Growth and Society" (Paris 1971). Zur Kritik am ökonozentrischen Denken und Handeln in der Sozialpolitik vgl. *B. Badura/P. Gross*, Sozialpolitische Perspektiven. Einführung in Theorie und Praxis bundesrepublikanischer Sozialpolitik (Arbeitstitel — im Erscheinen). Eine kurze und präzise Beschreibung der Schwierigkeiten klassischer ökonomischer Theorie bei der Behandlung der Dienstleistungsproduktion (im Unterschied zur Güterproduktion) bietet immer noch *V. R. Fuchs*, The Growing Importance of the Service Industries, New York 1965.

man sich mit dem *Ob und Wie staatlicher Interventionen zur Steuerung eines bislang weitgehend unkontrollierten Wachstums und zur frühzeitigen Vermeidung oder Ersetzung sozial allzu kostspieliger Technologien beschäftigt, und wenn Regelungen zur Diskussion stehen, die — wie z. B. im Falle der Reform des § 218 — teilweise tiefverwurzelte religiöse und/oder kulturelle Traditionen betreffen.*

2. Kultur, politische Kultur, herrschende Subkultur

Zur Vernachlässigung oder Unterschätzung kultureller Variablen durch die Nachbarwissenschaften hat nicht zuletzt die Unfähigkeit der Soziologen und Kulturantropologen beigetragen, sich auf ein einheitliches Verständnis dessen zu einigen, was unter „kulturellen Variablen" zu verstehen sei. Einer der ältesten und zugleich meistzitierten terminologischen Vorschläge geht auf einen amerikanischen Anthropologen zurück. In seiner 1924 erstmalig erschienenen Arbeit: „Primitive Culture" faßt Edward B. Taylor unter „culture": „... that complex whole which includes knowledge, belief, art, morals, law, custom and any other capabilities and habits acquired by man as a member of society" [6].

Der Einfluß der Freudschen Theorie, die Entwicklung der Survey-Technik sowie Erfordernisse der Kriegsführung haben in den 40er Jahren in den USA zu einem ersten allgemeineren Interesse an kulturellen Variablen beigetragen. Heute müssen neben der Kulturanthropologie vor allem die moderne Sozialisations- und Organisationsforschung sowie die „Soziale Indikatoren Bewegung" [7] als wesentliche Wegbereiter für eine theoretische Legitimation und wissenschaftspolitische Verankerung soziokulturell orientierter Untersuchungen angesehen werden.

Im Bereich politisch-soziologischer Untersuchungen waren es vor allem die Arbeiten von Gabriel A. Almond, von Sidney Verba und Harry Eckstein,

6 Zitiert nach *L. Schneider/Ch. Bonjean*, „Introduction" zu: dies. (eds.), The Idea of Culture in the Social Sciences, Cambridge 1973, S. VI. Den dort abgedruckten Beiträgen von K. Boulding und L. Schneider verdankt auch diese Einleitung einige gedankliche Hilfen.

7 Für die BRD vgl. dazu insbesondere die Arbeiten von *W. Zapf*, insbes.: „Gesellschaftliche Dauerbeobachtung und aktive Politik", in: Allgemeines Statistisches Archiv 57 (1973), S. 144—164.

die ein zunehmendes Interesse an der „politischen Kultur" einer Gesellschaft weckten [8]. Im Mittelpunkt standen dabei Fragen nach der „Kongruenz" politischer und vorpolitischer Wertsysteme, Einstellungen und Haltungen und nach deren Beitrag zur Erhaltung formal demokratischer Institutionen angelsächsischen Musters. Almond und Verba bestimmen in ihrer vielbeachteten Fünf-Länder-Studie „politische Kultur" als „spezifisch politische Orientierungen und Einstellungen gegenüber dem politischen System und seinen verschiedenen Teilsystemen" und als „Einstellungen gegenüber der eigenen Rolle des Einzelnen innerhalb des Systems", soweit sich diese im Denken, Fühlen und in den Werten der Bürger festgesetzt haben [9].

Man könnte auch anders ausgedrückt sagen: was Almond und Verba untersuchen, ihr Objektbereich, ist der Stand der politischen Sozialisation des Durchschnittsbürgers in einem bestimmten Land zu einem bestimmten Zeitpunkt. Spezifische Prozesse der Sozialisation politischer Führer und Aktivisten innerhalb und durch politische Institutionen werden mit dem vergleichsweise groben Netz ihrer repräsentativen Stichproben nicht erfaßt. Ihre Daten und Befunde erlauben demnach auch keine gesicherten Schlußfolgerungen über Rekrutierungsmuster und mögliche Prozesse der Einstellungsänderung politischer Eliten und deren Konsequenzen für die Arbeit politischer Organisationen [10]

Neben dieser inhaltlichen muß hier auch auf die methodische Grenze dieser Untersuchung verwiesen werden. Repräsentativbefragungen liefern uns gleichsam einen „Schnappschuß" gesellschaftlicher Realität, sind daher zur Erfassung von Sozialisations*prozessen* kaum geeignet. Die Methodik der Panel-Analyse ist dafür das zwar wesentlich aufwendigere, aber auch adäquatere Meßinstrument.

Schließlich muß gegen die Almond-Verba-Studie noch ein weiterer inhaltlicher Kritikpunkt vorgebracht werden. Ihr theoretischer Rahmen berücksichtigt nicht die *Hierarchie* kultureller Muster und sich daraus möglicherweise ergebende Konsequenzen für die praktische Politik. Die Wirkung kultureller Variablen in der Politik muß in engem Zusammenhang mit dem

8 *G. A. Almond/S. Verba,* The Civic Culture, Boston 1963; *H. Eckstein,* Authority Relations and Governmental Performance: A Theoretical Framework, in: Comp. Pol. Studies 2/1969, S. 269—325.

9 *G. A. Almond/S.* Verba, a.a.O., S. 12.

10 Dieser Kritikpunkt gilt auch noch für die neueste — im Rahmen der empirischen Partizipationsforschung sonst sicherlich richtungweisenden — Studie von *S. Verba/N. H. Nie,* Participation in America. Political Democracy and Social Equality, New York 1972.

Problem der ungleichen Zugangschancen zum politischen Prozeß und mit der Möglichkeit einer tendenziellen Eigendynamik (Verselbständigung) kultureller Muster im Bereich politischer Entscheidungsträger gesehen und untersucht werden. Gemeint ist eine Eigendynamik, die es den Entscheidungsträgern eher erschwert oder erleichtert, Bedürfnisse Entscheidungsbetroffener zu erfassen und angemessen zu berücksichtigen. Gefördert wird diese Eigendynamik durch eine immer noch zunehmende Verstaatlichung gesellschaftlicher Problemlösungen und ein dadurch bedingtes Wachstum politischer Institutionen.
Die Analyse politisch bedeutsamer soziokultureller im Unterschied zu sozioökonomischen Verhaltensdeterminanten gehört auch in der BRD zu den stark vernachlässigten Untersuchungsbereichen. Dort wo kulturelle Faktoren explizit zum Gegenstand gemacht werden, geschieht dies vorwiegend unter dem Gesichtspunkt horizontaler Differenzierung. Zwar gibt es Versuche, die soziokulturelle Heterogenität moderner Gesellschaften unter dem Stichwort „Pluralismus" zu erfassen; mit „Pluralismus" ist aber meist die Konkurrenz mehrerer politisch weitgehend ähnlich einflußreicher Gruppen gemeint, nicht deren Ungleichheit im Hinblick auf politische Teilnahmechancen. So gut wie gar nicht wurde bisher die Frage einer gründlichen empirischen Analyse unterworfen, ob es nicht so etwas wie eine „herrschende Subkultur" politischer Systeme gibt, d. h. spezifisch kulturelle Muster politischer Entscheidungszentren.
Überflüssig war eine derartige Fragestellung, solange die Kenntnis sozialer Hintergrundfaktoren (wie Herkunft, Religionszugehörigkeit, Ausbildung usw.) zur Prognose des Verhaltens politischer Eliten ausreichte und der Staat sich mit einer Nachtwächterrolle zufriedengab. In dem Maße allerdings, in dem keine Rede mehr davon sein kann, eine einzige kulturell homogene und politisch omnipotente Gruppe versorge eine Gesellschaft nicht nur ausreichend mit politischen Führern, sondern auch mit politischen Verhaltensmustern, und in dem Maße, in dem der Staat immer häufiger und immer schrankenloser steuernd in die Gesellschaft eingreift, gewinnt nicht nur die Frage nach der Herkunft politischer Führer, sondern auch die nach Herkunft und Inhalten ihrer Verhaltensmuster eine neue theoretische und praktische Bedeutung [11].

11 Vgl. dazu *B. Badura*, Bedürfnisstruktur und politisches System. Macht, Kultur und Kommunikation in „pluralistischen" Gesellschaften, Stuttgart 1972; *ders.*, Perspektiven amerikanischer Sozialpolitik. Drei Paradigmen und ihre exemplarische Anwendung, in: KZfSuS, 4/1973, S. 814—840.

Wie wir mittlerweile Arbeiten wie denen von Almond, Verba und speziell für die Bundesrepublik von Lewis J. Edinger [12] entnehmen können, weisen pluralistisch-kapitalistische Gesellschaften recht unterschiedliche politische Kulturen auf. Gemeinsam ist ihnen indessen eine ungleiche Verteilung der Chancen zur politischen Teilnahme, eine ungleiche Verteilung der Motivation zu explizitem politischem Handeln und eine ungleiche Verteilung politisch relevanter Informationen. Die „formellen" politischen Führer, die eher im Hintergrund tätigen „Macher" und politischen „Aktivisten" einer Gesellschaft, diejenigen also, die am politischen Geschehen eines Landes aktiv und wirkungsvoll beteiligt sind, bilden in der Regel eine relativ dünne Schicht. Sie sind es, die die Geschicke einer Gesellschaft nach bestimmten formellen und informellen Regeln der Kommunikation, Information und Entscheidung leiten. Tauchen hierbei Schwierigkeiten der Regelauslegung, der Setzung von Prioritäten und Schwerpunkten oder der Allokation von Ressourcen auf — und das ist andauernd der Fall —, dann versuchen die Angehörigen dieser „Leitungsebene" diese meist und zuallererst unter sich beizulegen. Welche Informationen, Werte und Interessen bei konkreten Entscheidungen tatsächlich ernsthaft in Erwägung gezogen und dann schließlich berücksichtigt werden, aber auch Lernfähigkeit und politisches Durchsetzungsvermögen des gesamten Entscheidungsapparates, hängt zu einem ganz beträchtlichen Maße ab vom manifesten und latenten Konsens zwischen den Angehörigen dieser dünnen Schicht.

Von einer „herrschenden Subkultur" einer Gesellschaft zu sprechen erscheint uns unter den folgenden Bedingungen gerechtfertigt: wenn Angehörige der politischen Leitungsebene in ihren Situationseinschätzungen, Leitbildern und Zielvorstellungen von denjenigen der übrigen Gesellschaft *abweichen* oder über *zusätzliche eigene* Situationseinschätzungen, Leitbilder oder Zielvorstellungen verfügen, oder wenn sie zu gemeinsamen Interpretationen und Zielvorstellungen neigen, die in ihrer öffentlichen Selbstdarstellung gar nicht, nur undeutlich, unvollständig oder verstümmelt zum Ausdruck kommen.

Häufigkeit einstellungsrelevanter Interaktionen — soweit nachweisbar — und die Tatsache, daß Angehörige der politischen Leitungsebene meist besser ausgebildet und vermögender sind als der Durchschnittsbürger, legen schon für sich genommen Entstehung und Erhalt einer derartigen Subkultur nahe. Das tatsächliche Ausmaß kultureller Homogenität und die konkreten In-

12 *L. J. Edinger*, Politics in Germany, Boston 1968, Chap. IV—VI.

halte lassen sich nur durch eingehende historische oder empirische Untersuchungen ermitteln.
Die vorliegende Untersuchung hat einen Teilbereich der politischen Leitungsebene der Bundesrepublik zum Gegenstand: das Parlament. Der hier entwickelte theoretische Rahmen und die verwendete Forschungsstrategie erheben darüber hinaus einen allgemeinen Anspruch. Wir glauben, daß ihre heuristische Nützlichkeit sich auch bei Analysen anderer wichtiger Teilbereiche der gesellschaftlichen Leitungsebene erweisen ließe, beispielsweise bei Analysen professioneller und/oder organisatorischer Sozialisation in der öffentlichen Verwaltung, in der Rechtsprechung, in den Massenmedien, in den Gewerkschaften und im Management privater Großbetriebe.

3. „Herrschende Subkultur" — ein analytisches Modell

Untersuchungen zur Erwachsenensozialisation in politischen Organisationen sehen sich gegenwärtig insbesondere den folgenden Schwierigkeiten gegenüber: zum einen gilt es, den dafür erforderlichen beträchtlichen Informationsbedarf zu decken, zum anderen leidet die Auswertung der ermittelten Daten unter dem Nichtvorhandensein einer ausgearbeiteten Theorie der Erwachsenensozialisation in komplexen Organisationen.
Während wir glauben, die erste Schwierigkeit durch Mehrfachbefragung von Parlamentsneulingen forschungstechnisch vertretbar bewältigt zu haben, gilt das sehr viel weniger für die zweite genannte Schwierigkeit. Hier müssen wir uns vielmehr mit theoretischen Versatzstücken behelfen, deren befriedigende Verknüpfung in einem überzeugenden theoretischen Kontext von uns nur in ersten Ansätzen geleistet werden kann.

Unter Subkultur politisch-administrativer Systeme verstehen wir Muster der Wahrnehmung, Bearbeitung und Lösung interner oder externer Probleme, soweit sie für eine bestimmte Organisation als Bestandteil des politisch-administrativen Systems oder für das System insgesamt typisch sind. Dieser positiven Bestimmung läßt sich auch eine negative gegenüberstellen: von einer Subkultur politisch-administrativer Systeme, von einer in diesem Sinne „herrschenden" Subkultur kann sinnvoll nur dort die Rede sein, wo Muster der Wahrnehmung, Bearbeitung und Lösung interner oder externer Probleme nicht — oder nicht mehr — auf Handlungsimperative oder Interessen des Wirtschaftssystems zurückführbar, d. h. unmittelbar von dort auferlegt oder übernommen worden sind. Angesprochen sind also traditionelle Verhaltensprogramme, die weitgehend unbefragt befolgt und internalisiert werden.

Für das Verständnis des von uns untersuchten Bereichs überwiegend informeller Verhaltensmuster (soweit sie durch Erhebung von Meinungen und deren Änderungen indiziert werden) von zentraler Bedeutung ist die folgende Eigenart kultureller Determination: kulturelle Verhaltensdeterminanten variieren nach Ausmaß ihrer „subjektiven Verfügbarkeit". Personen können sich (a) ihrer wohl bewußt sein, ihnen aus „Überzeugung" folgen — Max Weber spricht in diesem Zusammenhang vom „Gesinnungsethiker". Ursächlich für bestimmtes Verhalten können daneben auch (b) formelle oder informelle alltägliche oder institutionelle Routinen, professionelle Standards oder persönliche Gewohnheiten sein. Schließlich kann nicht ausgeschlossen werden, (c) daß bestimmte kollektive Verhaltensmuster wirksam sind, obwohl (oder gerade weil) sie weit außerhalb des Bewußtseins der Betroffenen liegen.

Eine weitere Eigenschaft kultureller Determination liegt in ihrem prinzipiell konservierenden Zug. Angedeutet wird dies schon durch Bezeichnungen wie „kulturelle Traditionen", „kulturelle Verwerfungen" (cultural lag), „Ungleichzeitigkeit des Gleichzeitigen" usw. Beabsichtigte und unbeabsichtigte gesellschaftliche Veränderungen scheitern nicht nur mangels materieller und informationeller Ressourcen oder am erfolgreichen Widerstand Beteiligter oder Betroffener, sondern auch an der „stummen Persistenz" eingeschliffener Denk- und Verhaltensmuster, tradierter Praktiken, überkommener Vorurteile. Dabei ist bemerkenswert, daß in der sozialwissenschaftlichen Literatur eine deutliche Neigung besteht, die Bedeutung kultureller Determination vornehmlich im Zusammenhang mit Unterschichtenverhalten zu thematisieren, beispielsweise als „kriminelle Subkultur Jugendlicher" oder als „Kultur der Armut". Das Problem möglicher kultureller Determinanten auf der Führungsebene politisch administrativer Systeme ist ein empirisch demgegenüber vergleichsweise wenig untersuchter Problembereich [13]. Die Frage nach den Ursachen für die Persistenz kultureller Muster läßt sich dabei durchaus nicht ausreichend mit dem Hinweis auf bestimmte Macht- oder Interessenstrukturen beantworten. Internalisierte und/oder gewohnheitsmäßig befolgte Denk- und Verhaltensorientierungen erfüllen eine sowohl subjektiv als auch interpersonell wichtige Entlastungs- und Steu-

13 Vgl. dazu F. Sack, Die Idee der Subkultur. Eine Berührung zwischen Anthropologie und Soziologie, in: KZfSuS 2/1971, S. 261—282, vgl. auch *B. Hardin*, Zum Konzept der „Subkultur", in: SOWI, 2/1975, S. 39 ff.

erungsleistung. Dies alleine erklärt ein Gutteil des in jeder Organisation mehr oder weniger stark ausgeprägten Konservatismus, der nichts mit „politischem Konservatismus“ zu tun haben muß — auch „Gegenmacht“ bedarf der Organisation — sondern mit dem Festhalten an Normen und Regeln um der relativen Kontinuität, Identität und Stabilität selbst willen. Ohne eine derartige relative Kontinuität, Identität und Stabilität ihrer internen Struktur ist offenbar keine Kleinfamilie und schon gar nicht eine komplexe Organisation in der Lage, die ihr gestellten Probleme erfolgreich zu bewältigen. Kontinuität, Identität und Stabilität haben indessen ihren Preis, sie beschränken den Handlungsspielraum, das was „möglich“ ist — auf der Ebene des Bewußtseins und der des Verhaltens. Spielregeln stiften „Sinn“ und „Ordnung“ und sie verpflichten. Worum es im Rahmen der vorliegenden Unteresuchung eigentlich nur gehen kann, konzentriert sich auf die Frage nach dem relativen Nutzen und den relativen Kosten solcher Strukturierung, „relativ“ bezogen auf die Zielverfolgung einer Organisation und bezogen auf die Persönlichkeitsmerkmale und das Verhalten ihres Personals.
Die Ergebnisse unserer Untersuchung zeigen, daß die durch die Subkultur des Deutschen Bundestages erzeugten Kosten, gemessen als Sozialisationskosten bei Parlamentsneulingen, sehr hoch sind. Ob sie als zu hoch eingeschätzt werden, hängt davon ab, wie wichtig man diese Organisation nimmt, was man für ihre Ziele hält, und wie man über die politische Machbarkeit von Veränderungsvorschlägen denkt, die eine Senkung dieser Kosten versprechen.

Eine angemessene Beschreibung sozio-kultureller Determinanten ist ein erster wesentlicher Schritt, der von den primär an „Formalisierung“ und „kausaler“ Erklärung interessierten zeitgenössischen Sozialwissenschaften häufig in seinen forschungsstrategischen Konsequenzen unterschätzt wird. Von Interesse ist dann selbstverständlich auch die Frage nach den historischen Ursachen kultureller Traditionen. Formal lassen sich zwei Arten historischer Ursachen unterscheiden:

— Muster der Problemwahrnehmung, -erarbeitung und -lösung politischer Organisationen können „von außen“ übernommen sein. In ihnen können sich entsprechende Muster von Gruppierungen, Institutionen oder Strömungen aus der „Umwelt“ widerspiegeln. (Die vorliegende Untersuchung berücksichtigt dies unter dem Stichwort „präparlamentarische Sozialisation“.)
— Das „Gedächtnis“ einer Organisation selbst, ihre Geschichte und in deren

Verlauf ausgebildete Musterbeispiele für Problemlösungen, ihre „Präzedenzfälle" und eingeschliffenen Praktiken, soweit sie auf organisationsspezifische Lernprozesse rückführbar sind, bilden die zweite Kategorie historischer Verursachung.

Jede Organisation entwickelt mit der Zeit ihre eigene (Sub-)Kultur, eigene Doktrinen, eine eigene Identität mit bestimmten Konsequenzen für den internen Informationsfluß, ihre weitere Lernfähigkeit, ihr Innovationspotential. Wenn diese Identität sich ändert, ändern sich Art und Umfang in Betracht gezogener Handlungsalternativen, ändert sich, was als politisch wünschbar, als sozialtechnisch machbar, oder als politisch durchsetzbar angesehen wird. Von besonderem Interesse sind dabei die folgenden Fragen: In welche Richtung entwickelt und/oder verändert sich die Kultur einer Organisation in Reaktion auf ihre politische, ökonomische und sozio-kulturelle Umwelt (Lernpotential)? Welche Konsequenzen ergeben sich daraus für ihre weitere Fähigkeit zur Kontrolle und Steuerung gesellschaftlicher Entwicklungen (Machtpotential)? [14]

Der dritte hier zu behandelnde Aspekt sozio-kultureller Determination politischer Prozesse bezieht sich auf Verfall oder Erhalt „effektiver" interpersoneller Beziehungen, auf Verfall oder Erhalt „authentischer" Kommunikationen und Informationen — soweit all dies auf informellen Netzwerken, Solidarität, gegenseitiger Anerkennung und Loyalität, also auf „immaterieller Motivation" beruht. In der industrie- und organisationssoziologischen Literatur ist hierbei häufig vom „Klima" einer Organisation die Rede. Gemeint ist damit ein schwer meßbares, gleichwohl in seiner Wirksamkeit kaum bestrittenes Faktorenbündel: jener Restbestand an Verhaltensdetermination, der durch materiellen Anreiz allein nicht voll steuerbar ist. Der Verfall solcher immaterieller Verhaltenspotentiale muß sich auf die Leistungsfähigkeit vor allem jener Teilbereiche politisch-administrativer Systeme auswirken, deren Funktion traditionell wesentlich auf das Vorhandensein gesinnungsethischer Orientierungsmuster angewiesen ist.
Der Verfall immaterieller Motivation kann bedingt sein durch allzu rigide Kommandostrukturen, durch einen autoritären Führungsstil der Organisationsspitzen oder innerhalb einer Abteilung — in unserem Fall: innerhalb

14 Hierin sehen wir auch eine Schwäche unserer eigenen Untersuchung. Obwohl das Material (Tonbandprotokolle) eine eher qualitative Auswertung durchaus zuließe, beschränken wir uns hier zunächst auf eine rein statistisch-quantitative Auswertung.

einer Fraktion — und durch eine Beförderungspraxis, die Anpassung und Zurückhaltung höher bewertet als Kreativität, Originalität und Innovation.

Eine weitere Ursache für derartige Verfallsprozesse könnte in „Beziehungskonflikten" liegen. Damit gemeint sind in der Regel unausgesprochene und nicht problematisierte Definitionen sozialer Beziehungen, die — sobald einmal in Frage gestellt — immer mehr Energien und Zeit von einer intensiven Verarbeitung gesellschaftlicher Probleme abziehen. Auch Konflikte haben ihre Tradition, neigen ebenso zur Verselbständigung wie bestimmte (konflikterhaltende) Normen und Gewohnheiten. „Reibungsverluste" innerhalb politisch-administrativer Systeme können deshalb zumindest teilweise auch auf das Konto solch „tradierter Fehden" zwischen bestimmten Personen oder einzelnen Subsystemen gehen.

In jedem Falle sollte man sich hüten vor einer allzu voreiligen Personalisierung derartiger Verfallsprozesse solidarischen Handelns. Angesichts einer übermächtigen Exekutive und angesichts einer übermächtigen Fraktionsspitze hat es, auch innerhalb der Organisation Parlament, ja immer wieder Versuche zur Solidarisierung gegeben, in der Regel unternommen von jungen, programmorientierten Parlamentariern innerhalb der Fraktionen (jüngstes Beispiel: der „Leverkusener Kreis" der SPD-Fraktion). Arbeitsweise und informelle Strukturen des Parlaments scheinen allerdings eher den Typus des karriereorientierten Einzelkämpfers als den des solidarischen Programmatikers zu fördern. Wenn die Vermutung zutrifft, daß die Organisation Parlament immer mehr zur Nebenbürokratie wird, deren Tätigkeit sich in Marginalkritik an der Arbeit der Exekutive und in überwiegend öffentlichkeitswirksamen Aktionen erschöpft, dann müßte die These Dahrendorfs von der „Individualisierung sozialer Konflikte" durch Bürokratisierung auch auf den deutschen Parlamentarier und seine Situation zutreffen. Dahrendorf diagnostizierte schon mitte der 60er Jahre eine „Diffusion bürokratischer Mentalität" in der Bundesrepublik und eine damit verbundene Degeneration solidarisches Handeln ermöglichender Fähigkeiten:

„Wenn Beamte oder Angestellte vorankommen wollen, dann versuchen sie dies in der Regel auf eigene Faust zu erreichen. Bürokratische Sozialzusammenhänge sind stets hierarchisch und pyramidenförmig; nicht alle, die unten beginnen, können nach oben kommen, aber alle wollen es. Das ist die strukturelle Voraussetzung für jene Konkurrenz zwischen Individuen, die eine der Hauptquellen organisatorischer Disziplin in Bürokratien darstellt und zugleich den Betroffenen, vor allem wenn sie erfolglos sind, das Leben sauer macht." [15]

15 *R. Dahrendorf*, Gesellschaft und Demokratie in Deutschland, München 1968 (Studienausgabe), S. 107 f.

4. Zur Erklärungskraft des analytischen Modells

Wie Dahrendorf in seinen konflikttheoretischen Arbeiten hervorgehoben hat, standen sich in der Geschichte der abendländischen politischen Theorie zwei Gesellschaftsbilder nahezu unvereinbar gegenüber. Rousseau und seine Nachfolger glauben, daß Gesellschaft durch einen allgemeinen Wertkonsens entsteht und erhalten bleibt, durch einen Konsens, der potentielle und aktuelle soziale Konflikte zu überstehen vermag. Hobbes und seine Nachfolger glauben demgegenüber, daß Konsens und Ordnung auf Zwang und Gewalt gegründet sind. Dahrendorf konnte nachweisen, daß es sich hierbei nicht um einander ausschließende, sondern weitgehend durchaus miteinander zu vereinbarende Modelle oder Paradigmen handelt[16]. Vor dem Hintergrund dieser Überlegungen und dessen, was oben über die Eigenart manifester und latenter kultureller Determinationen gesagt wurde, läßt sich folgende Vier-Felder-Tafel konstruieren:

		Konflikt	
		manifest	latent
Konsens	manifest		
	latent	+	

Uns interessiert alleine der linke untere Quadrant, also eine Kombination von manifestem Konflikt und latentem Konsens innerhalb politisch-administrativer Systeme. Wir sehen darin eine Möglichkeit, das „non-decision"-Problem [17] auf sowohl theoretisch plausible als auch empirisch-überprüfbare Weise zu reformulieren: Zu fragen wäre, wie weit innerhalb politisch-administrativer Systeme — seien es informelle, seien es aber auch den Betroffenen (politischen Freunden *und* Feinden) gar nicht bewußte — folgenreiche Übereinstimmungen nachweisbar sind, und sich daraus ergebende Neigungen zu übereinstimmenden Wahrnehmungsmustern, Problemdefinitionen und Problemlösungen, obwohl in der Öffentlichkeit gleichzeitig der Eindruck inten-

16 *Dahrendorf,* Class . . ., a. a. O. S. 157 ff.

17 Unter dem Stichwort „non-decision-making" wird in den USA seit einiger Zeit das Problem „blinder Flecken" politischer Entscheidungssysteme untersucht; vgl. dazu *Badura,* Bedürfnisstruktur . . ., a. a. O. S. 51 ff.; *C. Offe,* Strukturprobleme des spätkapitalistischen Staates, Frankfurt/M. 1973, S. 65 ff.

siver politischer Problematisierung und Auseinandersetzung herrscht. Es gilt, hier *intensive Problematisierung* und *extensive Problematisierung* zu unterscheiden. Die Wirksamkeit kultureller Determination (hier: informeller oder unbewußter Übereinstimmung) wird also nicht automatisch durch die Existenz intensiver politischer Konflikte ausgeschaltet. Unsere Überlegungen zielen auf „kollektive Haltungen", die für die Beteiligten möglicherweise ganz unbewußt als „Filter" wirken, d. h. die Auswahl dessen steuern, was als politisch machbar angesehen wird, und dies auch jenseits der Schwelle expliziter politisch-weltanschaulicher Differenzen.

Ein dafür aufschlußreiches Beispiel entstammt dem Kontext der französischen Bildungsplanung. Inhaber politischer Entscheidungspositionen und ihre politischen Gegner neigen hier gemeinsam seit langem zu „zentralistischen Lösungen", d. h. in diesem Fall zu Entscheidungen, die miteinander konkurrierende nationale Bildungsinstitutionen ausschließen. Die Folge war und ist eine Konservierung traditioneller Bildungsinhalte, die Vermittlung und Bewahrung einseitig zur Abstraktion neigender Denkstile sowie antiexperimenteller Einstellungen [18]. Ausarbeitung und Präsentation alternativer, mit traditionellen Optionen brechender Planungen, wäre unter diesen Bedingungen eine wichtige Voraussetzung zur Überwindung bestimmter interner kultureller Restriktionen eines politisch-administrativen Systems.

Eine systematische Analyse sozio-kultureller Ursachen für „non-decisionmaking" müßte zusammenfassend wie folgt verfahren: Es sollte nicht so sehr darauf geachtet werden, worüber Uneinigkeit besteht, sondern, (a) worüber — möglicherweise auch zwischen politischen Gegnern — Konsens in Bezug auf die Einschätzung von Situationen (Wahrnehmung und Beurteilung des Ist-Zustandes) und in Bezug auf politische Machbarkeiten alternativer Handlungsstrategien besteht. Gefragt werden müßte weiter nach (b) dem Grad der subjektiven Verfügbarkeit solcher Übereinstimmungen (explizit oder implizit), und gefragt werden müßte schließlich (c), ob derartige Übereinstimmungen tatsächlich um ihrer selbst willen, d. h. aus Gewohnheit oder aufgrund von Internalisierung, beibehalten werden. Ursächlich können dafür schließlich auch exogene Faktoren sein, wie beispielsweise (antizipierte) politische Interessen mächtiger Gruppen oder kulturelle Traditionen auf

18 Vgl. dazu *B. Cazes,* Future Research and Economic Planning: The French Case, Paris 1973 (Mnskr.) S. 18 f. Eine übersichtliche Darstellung des Verhältnisses von Tradition und Innovation im Bereich der Nachkriegssozialpolitik der BRD enthält: *G. Kleinhenz/H. Lampert,* Zwei Jahrzehnte Sozialpolitik in der BRD. Eine kritische Analyse, in Ordo, 22/1971, S. 103—158.

Seiten der Normalbürger (Wähler). Trifft dies zu, dann wären damit die Grenzen der Erklärungskraft des Konzepts der herrschenden Subkultur erreicht.

5. Parlament und „herrschende Subkultur“

Die moderne Parlamentsforschung, vor allem aber Untersuchungen über die „Legislatures“ der amerikanischen Einzelstaaten und über den amerikanischen Kongreß, stehen schon seit langen auch unter der Annahme, daß es jenseits der wechselnden Legislaturperioden eine kontinuierliche, stillschweigende Übereinstimmung der Parlamentarier über zahlreiche Normen gibt, durch die die Politik nicht nur prozedural geregelt wird. Die Meinungen über das Ausmaß und über die tatsächliche politische Bedeutung dieser parlamentarischen „Subkulturen“ gehen allerdings, entsprechend der Verschiedenartigkeit der bisher gewählten Forschungsansätze, weit auseinander. Für John C. Wahlke u. a., deren Verdienst es ist, der Parlamentsforschung Ende der Fünfziger Jahre durch die Einführung der Rollenanalyse wesentlichen Auftrieb gegeben zu haben, ist der Parlamentarier beim ersten Eintritt in das Parlament durch seine präparlamentarische Sozialisation im Grunde schon auf seine künftige Rolle festgelegt. Lediglich gewisse Spielregeln hat er zu lernen, doch deren Einfluß auf die Einstellungen des Neuparlamentariers bleibt ungeklärt [19]. Erst Richard F. Fenno gelang es 1966, durch eine ungewöhnlich intensive Analyse des House Appropriations Committees die politische Bedeutung des latenten Konsens unter den Ausschußmitgliedern näher zu bestimmen [20]. Seitdem bemühten sich andere Forscher um den quantitativen Nachweis informeller Normen, die jeder Neuparlamentarier zu erlernen hat (wir kommen im Schlußkapitel darauf zurück). Daß die politische Bedeutung informeller Übereinstimmung, durch die sich parlamentarische Subkultur etabliert, und daß folglich auch die Anpassung der jeweiligen Neuparlamentarier an diese Subkultur durch Sozialisation mittlerweile zum

19 *J. C. Wahlke/H. Eulau u. a.*, The Legislative System, New York 1962.
20 *R. F. Fenno*, The Power of the Purse: Appropriations Politics in Congress, Boston 1966.

Common Sense der Kongreßforschung gehören, beweisen die Buchveröffentlichungen der letzten Jahre [21].

Die deutsche Parlamentsforschung ist demgegenüber weit ins Hintertreffen geraten. Zwar liegen eine Reihe von teilweise sehr fundierten Untersuchungen zu verschiedensten Einzelfragen vor, daneben zahlreiche verfassungsrechtlich orientierte Abhandlungen, doch finden sich nur wenige Arbeiten, die sich auf die politischen Konsequenzen einer — möglicherweise zunehmenden — Verselbständigung parlamentarischer Organisationen konzentrieren. Immerhin hat in der für den Deutschen Bundestag bislang wohl wichtigsten Gesamtanalyse von Gerhard Loewenberg die parlamentarische Subkultur in den Begriffen „Stil" und „Korpsgeist" Beachtung gefunden. Loewenberg meint, beides habe zur Aufstellung von „informellen Verfahrensregeln geführt, die die Arbeit erleichtern sollen" und zu denen auch „eine gewisse Zurückhaltung gegenüber der Änderung der Politik und die Bereitschaft, Differenzen durch Kompromisse zu überbrücken", gehöre [22]. Über derartige allgemeine Feststellungen ist die deutsche Parlamentsforschung jedoch noch nicht hinausgekommen, und das ist umso unbefriedigender, als die von Nelson Polsby am Beispiel des amerikanischen Repräsentantenhauses nachgewiesene seit Jahrzehnten zunehmende Institutionalisierung mit allen ihren Folgen für die Ausprägung und Verfestigung einer eigenen organisatorischen Subkultur in den deutschen Parlamenten kaum weniger spürbar ist [23].

Unter diesen Umständen erstaunt es nicht, daß einer der bedeutendsten jüngeren Beiträge zur Analyse der herrschenden Kultur in europäischen parlamentarischen Systemen von einem Amerikaner geleistet worden ist. Robert Putnam, dessen Buch über „The Beliefs of Politicians" 1973 erschienen ist, hat darin unter Zuhilfenahme quantitativer Methoden den politischen Stil, die kognitiven Prädispositionen und — wie er es nennt — die operativen Ideale der Parlamentarier in Italien und England einer vergleichenden Analyse unterzogen [24]. In den teilweise beträchtlichen Unterschieden in den In-

21 *J. F. Manley,* The Politics of Finance, Boston 1970, insbes. Kapitel III; *R. F. Fenno,* Congressmen in Committees, Boston 1973, insbes. Kapitel IV; *R. B. Ripley,* Congress, Process and Policy, New York 1975, Teil I, Kap. 3 und Teil II.

22 *G. Loewenberg,* Parlamentarismus im politischen System der Bundesrepublik Deutschland, Tübingen 1969, S. 67.

23 *N. W. Polsby,* The Institutionalization of the U. S. House of Representatives, in: American Political Science Review, Vol. 62 (1968), S. 144—168.

24 *R. D. Putnam,* The Beliefs af the Politicians. Ideology, Conflict, and Democracy in Britain and Italy, New Haven 1973.

halten der herrschenden Kultur in den beiden Ländern sehen wir eine generelle Bestätigung unserer Annahme über die politische Bedeutung auch der Subkulturen in politischen Organisationen. Leider erlaubt die Untersuchung Putnams keine Schlußfolgerungen über die spezifischen Sozialsationseffekte der parlamentarischen Subkulturen, was vor allem daran liegt, daß er an der Herkunft der Einstellungen von Politikern nur sekundär interessiert ist und jedenfalls die Erwachsenensozialisation des Berufspolitikers nicht weiter in Erwägung zieht.
Unerläßlich erscheinen uns in Anbetracht dieser Forschungssituation methodologisch ausgefeilte Studien über die Existenz von Subkulturen in politischen Organisationen, über ihre Regeneration durch Sozialisation des neu eingestellten Personals und über die politischen Folgen derartiger Institutionalisierungen. Parlamente sind nicht die einzigen, vermutlich nicht einmal die wichtigsten Institutionen innerhalb parlamentarischer und präsidialer Regierungssysteme, sie bieten sich aber gleich aus mehreren Gründen für erste Analysen von organisatorischen Subkulturen an:

— Die formale Gleichheit und der Mangel eines formalen Vorgesetzten-Untergebenen-Verhältnisses schaffen besonders günstige Bedingungen für die Entstehung informeller Strukturen, die dem Zweck der Organisation zuwiderlaufen bzw. ihn mitdefinieren.
— Der gleichzeitige Austausch einer größeren Anzahl von Organisationsmitgliedern (durch die Neuwahlen alle vier Jahre) kommt den methodologischen Bedingungen einer Panelbefragung von Organisationsneulingen sehr entgegen.
— Es dürfte davon auszugehen sein, daß der Funktionswandel der Parlamente, der in allen westlich-parlamentarischen Systemen festzustellen ist, nach Auffassung vieler Politikwissenschaftler zu einem Prüfstein der modernen Demokratie geworden ist. Auch unter diesem Gesichtspunkt scheint es lohnend, das institutionell verfestigte Selbstverständnis des Parlaments sowie die Bewegungsrichtung dieses Selbstverständnisses mit Hilfe der parlamentarischen Sozialisation zu untersuchen.

Eine Analyse der parlamentarischen Subkultur unter den dargelegten Aspekten wirft angesichts der andauernden Parlamentarismusdiskussion allerdings zunächst die Frage auf, inwiefern diese Subkultur, wie das Parlament überhaupt, einen maßgebenden Einfluß auf die Politik ausübt. Kann man heute überhaupt noch davon ausgehen, daß das Parlament die Funktionen, die ihm im klassischen Parlamentarismusbegriff zugedacht sind, erfüllt, und daß es damit zu den ernstzunehmenden Mitgestaltern und Bewahrern herr-

schender Kultur gerechnet werden kann? Bildet es angesichts der Koalitionsverhandlungen, die auf Partei-, nicht auf Fraktionsebene geführt werden, noch die Regierung, oder ist es nur noch öffentliches Forum für die Vereidigung der Regierung? Und wie steht es mit der Kontrolle der Regierung, mit der Gesetzesinitiative, mit der Schulung politischen Führungsnachwuchses, mit der Herstellung von Offenheit, Öffentlichkeit in der Politik? An nahezu allen diesen klassischen Funktionen des Parlaments, sollten sie jemals in der Vergangenheit Wirklichkeit gewesen sein, hat das moderne Parlament eingebüßt. Die Gesetzesinitiative ist weitgehend auf die Regierung übergegangen, die Kontrolle des Regierungshandelns vollzieht sich überwiegend im Detail und dann auch zu einem guten Teil hinter verschlossenen Türen, den großen Debatten sind wegen ihrer potentiellen Breitenwirkung über die drahtlosen Medien die Zähne gezogen, sie scheinen nur noch sorgfältig inszenierte Repräsentation mit vorbestimmten und vorherbestimmbaren Ausgang. Angesichts einer derartigen Entwicklung erscheint die Vermutung nicht ganz abwegig, daß das Parlament immer weniger wirkliche Gewaltenteilung institutionalisiert, statt dessen diese Gewaltenteilung nur noch vorspiegelt. In diesem Fall, den wir hier den kritischen nennen wollen, würde die Aufgabe des Parlaments innerhalb des politischen Systems nicht in eigenständiger Machtausübung, sondern darin bestehen, den mitgebrachten Anspruch des (Neu-)Parlamentariers auf Machtausübung weit hinter dessen faktische Legitimation zurückzudrängen, um dadurch den Eliten aus Interessengruppen, Parteien, Regierungsbürokratie den von ihnen gewünschten Handlungsspielraum zu gewähren und zu legalisieren. Die parlamentarische Subkultur hätte für eine geeignete Umlenkung der Aufmerksamkeit, z. B. von Wahlkreisproblemen auf „hoffähige", parlamentsintern bereits anerkannte Probleme, von allgemeinen politischen Grundlinien auf detaillierte Sachfragen zu sorgen und darüber hinaus die Einstellungen der Parlamentarier auf der Linie der herrschenden politischen Kultur einander anzugleichen.
Es ist jedoch nicht auszuschließen, daß die beobachtete Entwicklung der Verfassungswirklichkeit weniger im Sinne eines Einflußverlustes als im Sinne einer Einflußverschiebung interpretiert werden muß. So ist kaum darüber hinweg zu sehen, daß das Parlament als Forum für die Opposition, die dort ihre Alternativen zur Regierungspolitik entwickeln kann oder sich doch wenigstens von dieser Politik öffentlich absetzen kann, unerläßlich ist. Die Regierung wird dadurch gezwungen, ständig an die Öffentlichkeit zu appellieren — und das heißt, jedenfalls in einem gewissen Grade, daß sie ihre Politik offen darlegen muß. Von noch größerer Bedeutung kann für die Regierungspolitik die angemessene Antizipation der Reaktion der Regierungsfraktion(en) auf Regierungsinitiativen sein. Da die Zustimmungsverweige-

rung einer Regierungsfraktion zu einer Gesetzesinitiative der Regierung niemals grundsätzlich auszuschließen ist, kommt den Regierungskontakten zu den eigenen Fraktionsführungen besondere Bedeutung zu. Das bedeutet, daß die Gesetzesinitiative zwar formal auf die Regierung übergegangen ist, daß sie inhaltlich nichtsdestoweniger durch die in den Regierungsfraktionen vertretenen Auffassungen auf eine gewisse Bandbreite festgelegt ist. Wenn oder insoweit dieser Fall zutrifft, hätte die parlamentarische Subkultur vor allem die Artikulationschancen eines jeden Abgeordneten gleichmäßig zu entwickeln mit dem Ziel, daß wenigstens zu Beginn des politischen Tauziehens um einzelne Positionen erst einmal alle betrachtungswürdigen Positionen bekannt werden. Die Sozialisation müßte in diesem Fall auf die Entwicklung des individualistischen Abgeordneten gerichtet sein, der möglichst unverfälscht die von ihm in Wahlkreis und Wahlkampf vertretenen Auffassungen am einzelnen Gesetzentwurf konkretisiert.

Eine andere positive Interpretation der beobachteten Entwicklung wird in der Parlamentarismusdiskussion mit dem Stichwort „Arbeitsparlament" umschrieben. Ihr liegt die Annahme zugrunde, daß die parlamentarische Organisation der Spezialisierung der Regierungsbürokratie zu folgen habe, damit auch im Parlament genügend Sachverstand zur Kontrolle von Regierungsvorlagen aufgebracht werde. Da Bundestagskandidaten nicht, jedenfalls nicht primär, als Spezialisten eines bestimmten Faches aufgestellt und gewählt werden, fällt dem Parlament die Aufgabe zu, sie zu Spezialisten zu erziehen, die sich relativ rasch in eine komplexe Regierungsvorlage einarbeiten und in der Folge für die größtmögliche Berücksichtigung der abweichenden Vorstellungen in der Fraktion sorgen können. Sie fungieren sozusagen als Dolmetscher zwischen politischer Alltags- und politischer Fachsprache und zugleich als Vertreter nicht nur ihrer eigenen, sondern aller Auffassungen, die es in ihrer Fraktion zu der betreffenden Fachfrage gibt. Die Sozialisation des Arbeitsparlamentariers verlangt nach einer Verdrängung seines Interesses an allgemeinen politischen Grundlinien und gibt der Sachkenntnis eine höhere Priorität als informativen und integrativen Funktionen des Abgeordneten in seinem Wahlkreis. Dafür ermöglicht sie die Detailkontrolle von Regierungsvorlagen.

Wir wollen an dieser Stelle nicht alle Interpretationen der parlamentarischen Entwicklung darlegen und diskutieren. Es sollte hier lediglich angedeutet werden, daß eine Funktionsverschiebung des Parlaments nicht notwendigerweise mit einem Funktionsverlust zusammenfällt, und daß es auch deshalb sinnvoll erscheint, die Analyse der herrschenden Subkultur mit einer Analyse der Subkultur des Parlaments zu beginnen. Nicht zuletzt von dieser Subkultur hängt es ab, welche Funktion das Parlament heute wahrzunehmen imstande ist und wie es sich selbst für den dauernden Kampf um das Gleichgewicht der Kräfte zwischen Regierung, Regierungsbürokratie und Parlament rüstet. Voraussetzung für die Identität und die Kontinuität dessen, was wir hier parlamentarische Subkultur nennen, ist freilich eine Sozialisation des Neuparlamentariers, durch die er — im Rahmen einer bestimmten Bandbreite oder bestimmter Typen — auf vorfixierte Einstellungen festgelegt wird. Wir fragen uns deshalb, wie es möglich ist, daß ein erwachsener Politiker in seinen Einstellungen noch nennenswert beeinflußt werden kann.

6. Was heißt „Parlamentarische Sozialisation"?

Einsichten der modernen Soziologie scheinen sich gelegentlich nicht zuletzt deshalb nur langsam im öffentlichen Bewußtsein durchzusetzen, weil sie unserem Alltagswissen und unserem Selbstverständnis zuwiderlaufen. Eine unvermittelte Gegenüberstellung „Individuum — Gesellschaft" durchzog über Jahrhunderte hinweg unser Denken über politische, soziale und ökonomische Probleme und dürfte auch heute noch unbefragte Prämisse all jener sein, für die die Steuerung sozialen Wandels sich nicht grundsätzlich unterscheidet von Eingriffen des Menschen in die Natur. In der modernen Sozialisationsforschung wurde demgegenüber ein bewahrenswerter Gedanke der traditionellen Erkenntniskritik wieder aufgegriffen, der besagt, daß wir selbst ein Produkt eben jener gesellschaftlichen Sachverhalte sind, um deren Verständnis und Bewältigung wir uns — sei es in der Wissenschaft oder in der alltäglichen Lebenspraxis — andauernd bemühen.

Wenn die neuere Soziologie und Sozialpsychologie die Perspektive der Persönlichkeitsentwicklung und des sozialen Lernens in ihrem Verständnis von Sozialisation zu verknüpfen sucht, dann geht es dabei um Prozesse der dialektischen Vermittlung, nicht der isolierenden Gegenüberstellung des Einzelnen und seiner Gesellschaft. Dieser zugegeben schwierige Gedanke liefert den Rahmen für die bisher theoretisch überzeugendste Verbindung von „Person", „Institution" und „Verhalten" — den drei klassischen Abstraktionen der Sozialwissenschaften — im Ansatz der modernen Sozialisationsforschung.

Jede soziale Organisation — sei sie einfach wie eine Kernfamilie oder Freundschaftsgruppe oder komplex wie ein Großbetrieb, ein Parlament oder ein Ministerium — verfügt über ein Standardrepertoire an Regeln, Wissen, Aufmerksamkeitsbereichen, Glaubensüberzeugungen und Fähigkeiten zur Bewältigung interner oder externer Probleme. Der Prozeß der Vermittlung dieses Repertoires an neue Organisationsmitglieder nennen wir soziales Lernen oder „Sozialisation". Was sich aus der Perspektive der sozialisierenden Institution und ihrer Repräsentanten (Sozialisationsagenten) oft als eher passiver Anpassungsprozeß darstellt, erscheint aus der Perspektive der zu sozialisierenden Personen häufig als durchaus nicht passiv erlittener, sondern vielmehr als aktiv mitgestalteter Vorgang der Transformation auch jener institutioneller Rahmenbedingungen und Personen, die sozialisieren, durch eben jene, deren Persönlichkeit sich im Verlauf der Sozialisation (mit-) entwickelt. Sozialisation muß nicht immer Anpassung oder Unterwerfung in vorhandenen Institutionen oder Organisationen zur Folge haben. Unter bestimmten Voraussetzungen kann Sozialisation auch zu deren Veränderung und/oder zur Selbstentfaltung der Betroffenen führen [25].

Bevorzugter Gegenstand der modernen Sozialisationsforschung sind Erziehungsinstitutionen wie Familie und Schule. Probleme der Erwachsenensozialisation in komplexen politischen oder wirtschaftlichen Organisationen wurden bisher demgegenüber stark vernachlässigt [26]. Wir glauben, daß ge-

25 Vgl. dazu *J. Habermas,* Moralentwicklung und Ich-Identität, Starnberg 1974 (Mnskr.). Habermas beschränkt sich in diesem Theorieentwurf auf die moralische Entwicklung des Kindes. Arbeiten über Bedingungen und Möglichkeiten der Selbstentfaltung des Erwachsenen scheinen uns um so dringender, je stärker sich die Kraft sekundärer Prägungen in komplexen Organisationen erweisen sollte. Zu einer Theorie der kreativen Entwicklung ganzer Organisationen vgl. *K. W. Deutsch,* Politische Kybernetik, Freiburg 1969. Das Verhältnis zwischen Organisationsentwicklung und Persönlichkeitsentwicklung wird allerdings auch bei Deutsch nur am Rande behandelt (S. 243 ff.).

26 Eines der verbreitetsten Handbücher über Organisationsfragen enthält noch nicht einmal im Index einen Hinweis auf den Faktor Sozialisation (Vgl. J. G. March, ed., Handbook of Organization, Chicago 1965). Auch das jüngere, von D. A. Goslin herausgegebene „Handbook of Socialization Theory and Research" (Chicago 1969) enthält keinen eigenen Abschnitt über Sozialisation in Organisationen. Gestreift wird das Problem in den beiden folgenden Beiträgen: *E. Q. Campbell,* Adolescent Socialization (ebd. S. 821—59); *W. E. Moore,* Occupitional Socialization (ebd. S. 861—83). Hilfreiche Hinweise finden sich bei *E. Goffman, Asylums,* New York 1961; bei *A. Etzioni,* A Comparative Analysis of Complex Organisations, Glencoe 1961, (S. 127—150); bei O. *G. Brim jr./St. Wheeler,* Erwachsenensozialisation, Stuttgart 1974 (engl. 1966); bei *K. Lüscher,* Berufliche Sozialisation, in: *Th. Luckmann, W. Sprondel,* Hrsg., Berufssoziologie, Köln 1972, (S. 219—238); und bei *H. Steinert,* Polizei, Gefängnis usw. Über Sozialisation in der ‚totalen Institution' als Paradigma des Verhältnisses von Individuum und Gesellschaft, in: *H. Walter,* Hrsg., Sozialisationsforschung, Bd. II, Stuttgart 1973, (S. 227—294); sowie bei *M. Kohli,* Studium und Laufbahn, Stuttgart 1973 (S. 26 ff.). Uns diente als Orientierung auch ein Manuskript des MIT-Organisationswissenschaftlers *E. H. Schein* über „Organizational Socialization" (1972).

rade die Perspektive der Sozialisation in politischen Organisationen geeignet ist, konkrete Wechselwirkungen zwischen institutionellen und personalen Verhaltensdeterminanten zu ermitteln — Wechselwirkungen, die ihrerseits nicht ohne Einfluß bleiben auf Form und Substanz politischer Prozesse.
Ausgangspunkt unserer Überlegungen zur parlamentarischen Sozialisation sind die folgenden drei theoretischen Annahmen:

— Sozialisationsprozesse Erwachsener in komplexen Organisationen führen, für die Betroffenen häufig kaum bewußt, zu einer Identifikation mit den Handlungsimperativen und Problematisierungsmustern der Organisation. Mit anderen Worten, Sozialisation in Organisationen bedeutet Internalisation organisationstypischer Denk- und Wahrnehmungsformen, Einstellungen und Werte.
— Ergebnisse von Sozialisationsprozessen in Organisationen weisen — bei gewiß auch feststellbaren individuellen Unterschieden — gewisse Regelmäßigkeiten auf, führen in bestimmten Bereichen zu einer Uniformierung des Verhaltens, die aus der Perspektive der Sozialisationsagenten für den Bestand und die Arbeitsfähigkeit dieser Organisation — sei es aus Routine, Tradition oder bewußter Kalkulation — als unerläßlich angesehen wird.
— Die bei Organisationsneulingen nach einer gewissen Zeit tatsächlich feststellbaren Verhaltensänderungen sind abhängig von drei Klassen von Variablen, die entweder änderungsfördernd oder änderungshemmend wirken können: (a) von den „mitgebrachten" Wahrnehmungsformen, Einstellungen und Werten der betreffenden Neulinge, (b) von den sozialisierenden Erlebnissen, Erfahrungen im unmittelbaren Kontext der Arbeitssituation, den „erzieherischen Maßnahmen" der Sozialisationsagenten (Arbeitskollegen, Vorgesetzten), (c) von der sozialisierenden Wirkung informeller oder anonymer Regeln der Gesamtorganisation oder einzelner Abteilungen (formellen oder informellen Standardprozeduren, Doktrinen, Argumentationszwängen).

Im Anschluß an Überlegungen Kurt Lewins entwickelte der amerikanische Organisationssoziologe Edgar H. Schein ein Dreiphasenmodell für den Ablauf organisationsinterner Sozialisationsprozesse. In der „Auftauphase" werden die gängigen Einstellungen und Meinungen des Neulings verunsichert, tritt der Anpassungsdruck seiner sozialen Umwelt verstärkt auf oder wird sein Widerstand zum Wandel reduziert. In der „Wandlungsphase" werden neue Verhaltensalternativen angeboten und erprobt. Und in der „Gefrierphase" erfolgt die Reintegration neuer und alter Einstellungen und

Meinungen und ihre Verfestigung [27]. Schein orientiert sich bei seinen Überlegungen am Gegenstand Industriebetrieb; im Vordergrund der folgenden Untersuchung steht die Organisation Parlament, genauer: der Deutsche Bundestag.

Wie jede andere Organisation entwickelt auch das Parlament bestimmte formelle oder informelle, explizite oder implizite Mechanismen, um seine Neuzugänge in bestehende Strukturen und Prozesse „einzupassen". Organisationen unterscheiden sich nicht in der Frage, ob sie sozialisieren, sondern in der Frage, in welche Richtung, mit Hilfe welcher Strategien, in Bezug auf welche Inhalte und mit welchen Konsequenzen dies geschieht. Sozialisationskosten sind ein Teil der laufenden Kosten jeder Organisation. Ihr Umfang variiert vor allem entsprechend der vorangegangenen (hier: der präparlamentarischen) Lernprozesse ihres Personals und nach Art der Ziele und Aufgaben einer Organisation, ihrer internen Strukturen und Prozesse.

In komplexen Industriegesellschaften beinhaltet die spezielle Sozialisation mit Richtung auf bzw. während der Ausübung von Ämtern innerhalb politischer Organisationen weit mehr als jene allgemeine politische Sozialisation, wie sie (mehr oder weniger) alle Bürger während ihres Lebens erfahren. Sie beginnt spätestens in dem Moment, wo sich der Einzelne entscheidet, nicht nur *für* die Politik, sondern auch *von* der Politik zu leben. Die spezifische Sozialisation in poltischen Organisationen vermittelt dem Betroffenen eine „Insider"-Perspektive vom politischen Geschehen, vermittelt ihm spezifische Fähigkeiten und Techniken zur Gewinnung massenhafter Unterstützung sowie zum Erwerb von Einfluß auf den politischen Prozeß. Sie vermittelt schließlich bestimmte Orientierungen, Meinungen und Einstellungen.

Hinsichtlich des Verhältnisses von präparlamentarischer und parlamentarischer Sozialisation gehen wir von den folgenden drei Hypothesen aus:

- Der politischen Karriere vorangehende Prozesse allgemeiner politischer Sozialisation können bei einer Analyse verhaltensprägender Faktoren weitgehend vernachlässigt werden; allgemeine politische Sozialisation beeinflußt vor allem die Chancen zum Einschlagen einer politischen Karriere und die Motivation zum Nutzen dieser Chancen; erst die spezielle politische Sozialisation vermittelt die wesentlichen handlungsrelevanten Fähigkeiten, Einstellungen und Erwartungen [28].
- Prozesse formeller und informeller politischer Rekrutierung wie die par-

27 *Schein,* a. a. O.

28 Vgl. *B. Badura,* Bedürfnisstruktur und politisches System, a. a. O., Kap. II.

teiinterne Aufstellung von Bundestagskandidaten und schließlich ihre offizielle Wahl durch die wahlberechtigten Bürger sind — zumindest bei Parlamentsneulingen, mit denen wir es ja zu tun haben — typischerweise extraparlamentarische Prozesse, dienen der personellen Ergänzung des Parlaments. Nur in Ausnahmefällen sichern sie gleichzeitig schon dem betreffenden Jungparlamentarier Einfluß im Parlament.

— Ausschlaggebend für den späteren parlamentarischen Einfluß ist in der Regel die Art und Weise, wie ein Parlamentsneuling sich den organisationsinternen Verhaltensmustern und Erwartungen gegenüber verhält. Ausschlaggebend ist also der „Erfolg" oder „Mißerfolg" seiner parlamentarischen Sozialisation, gemessen an den Kriterien seiner „peers" oder seiner „Vorgesetzten", bezogen auf politische „skills" oder auf Werte, Einstellungen und Verhalten.

Was sind nun diese organisationstypischen Erwartungen und Verhaltensmuster des Deutschen Bundestages? Wie arbeiten die Mechanismen der Sozialisation in dieser Organisation? Was sind die Konsequenzen parlamentarischer Sozialisation (a) für die Entwicklung der Organisation im ganzen, (b) für einzelne Teilbereiche, z. B. Fraktionen, (c) für die einzelnen Parlamentarier und schließlich (d) für die gesellschaftliche Umwelt des Parlaments? Kurz: Wie steht es mit der Kosten/Nutzen-Relation parlamentarischer Sozialisation? Anlage und Methodik unserer Untersuchung erlauben keineswegs eine ausführliche Beantwortung aller dieser Fragen, lassen sich doch beispielsweise Sozialisationsstrategien sinnvoll nur durch systematische Beobachtung [29] und gezielte informelle Interviews ermitteln. Beides war aus zeitlichen und finanziellen Gründen im Rahmen dieser Untersuchung nicht möglich. Auch geht es uns ja nicht um eine umfassende Evaluation parlamentarischer Aktivitäten.

Zweck der Untersuchung ist vielmehr erstens, die spezifische Subkultur der Organisation Deutscher Bundestag aufzuspüren, jene überwiegend informellen Einstellungen, Orientierungen, Zumutungen, Verhaltensmuster, auf die der einzelne Neuparlamentarier bei Eintritt in den Bundestag stößt, mit denen er sich auseinandersetzen, auf die er sich einstellen muß, die er möglicherweise allmählich und eher unbewußt akzeptiert. Da es sich beim Deutschen Bundestag um eine Organisation handelt, die politische Entscheidungen zu fällen, die Probleme aufzugreifen, zu bearbeiten und zu lösen hat, läßt sich das Prädikat „Subkultur des Parlaments" auch ersetzen durch: überwiegend informelle Muster der parlamentsspezifischen Wahrnehmung,

29 Vgl. dazu *H. Treiber,* Wie man Soldaten macht, Düsseldorf 1973.

Bearbeitung und Entscheidung organisationsinterner oder -externer Probleme. Zweck der Untersuchung ist zweitens, die „Herkunft" der im Parlament dominanten Orientierungsmuster zu ermitteln und nach fraktionsspezifischen Varianten zu fragen. Zweck der Untersuchung ist es drittens, auf der Basis unserer Befunde Überlegungen über die Kosten parlamentarischer Sozialisation anzustellen, sowie zukünftige Entwicklungen zu antizipieren. Um möglichen Mißverständnissen vorzubeugen, wollen wir am Ende dieser Einleitung noch eine allgemeine Bemerkung über die Bedeutung von Sozialisationsprozessen für die Arbeitsweise einer Organisation machen. Sozialisation in Organisationen ist unseres Erachtens ebenso unvermeidlich wie problematisch: Unvermeidlich ist sie, weil jede zumindest teilweise neue soziale Umgebung erneute Lernprozesse notwendig macht — sofern der betroffene Organisationsneuling hier überhaupt eine Wahl hat und an einer Mitarbeit in dieser Organisation interessiert ist; problematisch ist sie, weil — abgesehen einmal von der Frage nach dem Sinn dessen, was gelernt wird — Sozialisation sich ja nicht im Erwerb neuer sozialer Fertigkeiten (neuer Kenntnisse, „Verständnisse", neuer Formen der Interaktion) erschöpft, sondern auch partielle Persönlichkeitsveränderungen zur Folge haben kann. Bei der Behandlung dieses Gegenstandes gilt es, sich deshalb stets die folgenden drei Fragen vorzulegen:

1. Sind die von einer Organisation ihren Mitgliedern mehr oder weniger explizit auferlegten Lernprozesse tatsächlich sinnvoll, relevant, angemessen — bezogen auf ihre Aufgaben?
2. Sind die von einer Organisation mehr oder weniger explizit herbeigeführten Persönlichkeitsveränderungen vertretbar, gemessen an den Zielen einer Organisation, ihrer gesellschaftlichen Verantwortung und bezogen auf die ursprünglich vorhandenen (hier: demokratisch legitimierten) Prioritäten und die Orientierung des rekrutierten Personals?
3. Führt organisationsspezifische Sozialisation zu einer Erweiterung oder Beschränkung von Optionen, wenn ja, warum und mit welchen Konsequenzen für die Arbeitsweise der betreffenden Organisation?

Dem, der sich schon selbst einmal mit Problemen der Erwachsenensozialisation in komplexen Organisationen beschäftigt hat, dürfte ein Gutteil unserer Befunde weder überraschend noch gar revolutionär erscheinen. Soziologen wie beispielsweise Peter Blau haben immer wieder darauf aufmerksam gemacht, daß einmal etablierte Organisationen dazu neigen, eigene Wahrnehmungsweisen und Verhaltensorientierungen zu entwickeln, die sich gegenüber ihren Mitgliedern verselbständigen [30] und damit gleichsam eine Eigengewalt annehmen, zu „Informationspathologien" und „Organisationsblindheit" führen können [31]. Dieses „Zauberlehrling-Motiv" kann geradezu als ein Leitthema seriöser oder auch nur polemischer Institutionenkritik von Marx bis Illich bezeichnet werden. Während nun die angelsächsische Literatur den Schwerpunkt ihrer Bemühungen häufig auf den bloßen Nachweis praktischer Unvermeidbarkeit derartiger Prozesse legt, geht es uns auch um eine zumindest immer wieder zu versuchende Bändigung dieser „zweiten Natur": Durch Aufklärung über ihre Bedingungen, Formen und Wirkungen. Aufklärung alleine dürfte indessen nicht ausreichen, um unerwünschte Konsequenzen parlamentarischer Sozialisation zu verhindern. Nur wenn man erkennt, daß die konkreten Formen subkultureller Verselbständigungen, wie sie im Hauptteil der vorliegenden Untersuchung aufgezeigt und interpretiert werden, ihre Ursachen (a) in der konkreten Arbeitssituation innerhalb des Parlaments, (b) in den Beziehungen, Abhängigkeiten und Problemen zwischen dieser Organisation und ihrer Umwelt und (c) in den herrschenden Werten unserer Gesellschaft haben, wird der Stellenwert parlamentarischer Sozialisation, werden ihre Bedingungen in ihrer vollen Verflechtung deutlich.

7. Zu Erhebung und Auswertung der Daten

Die Ergebnisse der vorliegenden Untersuchung beruhen auf eigenen Erhebungen aus den Jahren 1969 und 1972. Die Erhebungen zielten darauf ab, eventuelle Einstellungsänderungen der 1969 erstmals in den Deutschen Bundestag gewählten 156 Parlamentarier (im Folgenden: „Neuparlamentarier") deutlich zu machen. Zu diesem Zweck sind dieselben Abgeordneten zweimal im Abstand von 3 Jahren mit denselben Fragen konfrontiert worden. Jedes Interview umfaßte 69 Fragen und dauerte im Durchschnitt eineinhalb Stunden. Die Antworten wurden tonbandprotokolliert, später in Maschinenschrift übertragen, einheitlich verkodet und maschinell ausgewertet.

30 *P. Blau,* The Study of Formal Organizations, in: *T. Parsons,* ed., American Sociology, New York 1968.

31 Vgl. dazu *Deutsch,* a. a. O., insbes. Teil drei; *H. Wilensky,* Organizational Intelligence, New York 1967.

Der Ausgangsthese entsprechend müßte sich der Prozeß der Anpassung von Neuparlamentariern an die parlamentarische Subkultur (parlamentarische Sozialisation) auch auf die Meinungsbildung der Neuparlamentarier strukturell auswirken. Da sich die parlamentarische Subkultur nicht unmittelbar beobachten läßt, waren wir auf ihre mittelbare Beobachtung durch die von ihr verursachten Einstellungsänderungen angewiesen. Dadurch entsteht jedoch das methodologische Problem des verbotenen Umkehrschlusses: Wenn sich signifikante Änderungen in den Antworten der Abgeordneten feststellen lassen, so können wir von ihnen aus nicht uneingeschränkt auf die Existenz und Wirkung einer parlamentarischen Subkultur schließen. Andere Faktoren könnten die beobachteten Änderungen (mit-)bewirkt oder auch unbeobachtete Änderungen verhindert haben. Wegen dieser Schwierigkeiten haben wir uns entschlossen, die Befunde getrennt darzustellen: Im Kapitel 1 wird zunächst geprüft, ob sich überhaupt diejenigen Meinungsänderungen nachweisen lassen, die unseren Hypothesen entsprechend bei einer existierenden parlamentarischen Subkultur eintreten könnten. Im darauf folgenden Kapitel 2 werden die Ursachen dieser Meinungsänderungen anhand einiger Faktoren untersucht, die als typische parlamentsinterne Sozialisationsmechanismen infrage kommen könnten.

Die Autoren sind sich darüber im klaren, daß sich eine parlamentarische Subkultur nur zum Teil in Einstellungsänderungen äußern wird. Sprachgewohnheiten z. B. stellen ebenfalls ein wichtiges Wirkungsfeld parlamentarischer Sozialisation dar, auf dessen Analyse in der vorliegenden Studie jedoch verzichtet werden mußte. Ferner ist darauf hinzuweisen, daß infolge des ohnehin erheblichen Aufwandes der Erhebung auf eine Kontrollgruppenanalyse verzichtet werden mußte. Daraus ergeben sich zusätzliche Schwierigkeiten bei der Wirkungsanalyse. So ist anhand unseres Materials nicht mit letzter Sicherheit festzustellen, welche Einstellungsänderungen als Anpassung an die herrschende parlamentarische Subkultur zu verstehen sind und welche durch Schwankungen im politisch-kulturellen Klima außerhalb des Parlaments verursacht worden sein könnten.

Das Sample umfaßt 59 Parlamentarier. In der ersten Befragung kamen mit drei, in der zweiten Befragung durch frühzeitiges Ausscheiden aus dem Bundestag und aus anderen Gründen mit sieben Abgeordneten keine Termine zustande, so daß schließlich die Interviews von 49 Neuparlamentariern für Vergleichsoperationen zur Verfügung standen. Bei dieser Größenordnung mußte damit gerechnet werden, daß Sozialisationseffekte in der Gegenüberstellung der Meinungen von Erst- und Zweitbefragungen aus statistischen Gründen nur dann signifikant werden würden, wenn sie unerwartet stark sind. Um sie trotz des kleinen Samples sichtbar machen zu können, wurde auf ein für die Neuparlamentarier repräsentatives Sample verzichtet. Statt dessen sollten diejenigen Neuparlamentarier ausgewählt werden, bei denen die geringste Vorsozialisation zu erwarten war. Die spärlichen Daten, die unmittelbar nach der Wahl über die Neuparlamentarier zur Verfügung standen, ließen dann allerdings eine Auswahl nur nach dem Kriterium Lebensalter zu. Es sind mithin die Jüngsten unter den Neuparlamentariern des VI. Deutschen Bundestages für das Sample herangezogen worden.

Tabelle E/1 *Neuparlamentarier im VI. Deutschen Bundestag*

Partei	insgesamt*	Sample	Ausfälle	1. u. 2. Befr.
CDU	57	19	3	16
CSU	16	8	0	8
CDU/CSU	73	27	3	24
SPD	77	27	6	21
FDP	6	5	1	4
Zusammen	156	59	10	49

* Berliner Abgeordnete eingeschlossen.

Dadurch entsteht ein Bild, daß in Hinblick auf das Untersuchungsziel funktional ist, das es aber verbietet, von dem Sample auf die Gesamtheit der Neuparlamentarier oder gar aller Parlamentarier des VI. Deutschen Bundestages zu schließen. Repräsentativität konnte und sollte bei der vorliegenden Analyse der parlamentarischen Subkultur keine Rolle spielen. Infolge dessen entstehen bei dem relativ kleinen Sample auch nicht die statistischen Probleme, die sonst bei dem Schluß von einem Sample auf die Grundgesamtheit entstehen.

Unabhängig hiervon ist die Frage zu behandeln, ob und inwiefern die von uns festgestellten Einstellungsänderungen signifikant sind. Statistisch gesehen haben wir es bei der vorliegenden Untersuchung mit zwei abhängigen Stichproben zu tun. Dadurch ergibt sich für die Signifikanzberechnung bei festgestellten Varianzen eine wesentlich günstigere Lage als bei unabhängigen Stichproben, weil jeweils nur diejenigen Neuparlamentarier im Vergleich berücksichtigt werden müssen, die ihre Einstellungen auch tatsächlich geändert haben. Jene Nivellierung der Proportionen, die durch eine Mitberücksichtigung gleichgebliebener Äußerungen entsteht, kann bei den Signifikanztests mithin ausgeschaltet werden.

Die Signifikanzwerte, auf die sich die in der vorliegenden Analyse dargelegten Thesen stützen, liegen zumeist um die Gewißheit von 90 Prozent herum, häufig auch höher. Nur in ganz seltenen Fällen haben wir Werte bis herunter zu 70 Prozent geduldet — etwa dann, wenn durch die betreffende Variable eine Interpretationslücke in einer durch andere Variablen bereits zureichend belegten These geschlossen werden konnte. Hinzu kommt, daß wir uns auferlegt haben, daß sich die Thesen durch die Ergebnisse aus mehreren Variablen stützen lassen müssen, bevor wir sie akzeptieren. Wo das nicht der Fall ist, haben wir auf das Signifikanzproblem gesondert hingewiesen. Letzteres gilt generell für das Kapitel II.

I. Die parlamentarische Subkultur

1. Die These von der zunehmenden Introversion

Einen ersten Hinweis auf die Wirksamkeit der parlamentarischen Sozialisation und damit der parlamentarischen Subkultur sehen wir in dem, was wir zunehmende Introversion der Neuparlamentarier nennen wollen; damit gemeint ist eine Verschiebung ihrer Aufmerksamkeiten und Wertungen zugunsten parlamentsinterner und zugunsten vorparlamentarischer bzw. parlamentsexterner Probleme und Faktoren.

Auf die Frage nach den Gründen für ihre Kandidatur geben bei der zweiten Befragung wesentlich mehr Abgeordnete als Grund „eigenes Interesse an bundespolitischer Arbeit" an. Größere Einbußen ergeben sich beim Grund „Konsequenz nach langjähriger politischer Arbeit". Diese nachträgliche Motivkorrektur kann sinnvoll nur als Folge neuer, mit der Parlamentsarbeit in Zusammenhang stehender Erwartungen interpretiert werden (Tabelle I/1).

Tabelle I/1 *Perzeption der Motive für die Kandidatur*

Frage: Sie sind in den VI. Deutschen Bundestag als Abgeordneter der ... (Partei) gewählt worden. Was hat sie (damals) dazu bewogen, für den Bundestag zu kandidieren?

Antwort: (1) Eigenes Interesse an bundespolitischer Arbeit
(2) Bitte oder Drängen von Parteifreunden
(3) Konsequenz nach langjähriger politischer Arbeit
(4) Sonstiges

		1972 (1)	(2)	(3)	(4)	SU
1969	(1)	15	1	2	0	18
	(2)	2	5	3	1	11
	(3)	6	3	7	0	16
	(4)	3	1	0	0	4
	SU	26	10	12	1	49

Zu-/Abgänge bei (1) = 11/3; chi^2 = 4,5; d.f. = 1

Bei der Frage nach den „gut informierten Kreisen" (vgl. Tabelle I/2) in Bonn ist die Zunahme in den Nennungen formeller politischer Instanzen und der starke Rückgang in den Nennungen der (formell externen) Presse auffällig.

Tabelle I/2 *Verortung politisch gut informierter Kreise*

Frage: Es gibt ja immer besonders gut und weniger gut informierte Leute. In welchen Kreisen vermuten Sie in Bonn ganz allgemein die sehr gut informierten Leute?

Antwort:
(1) (Noch) Keine Vorstellung
(2) Regierung
(3) Ministerialbürokratie
(4) Fraktionsspitze
(5) Parteispitze
(6) Vorsitzende von parlamentarischen Ausschüssen und Arbeitskreisen
(7) Presse
(8) Gesellschaftliche Organisationen

		1972 (1)	(2)	(3)	(4)	(5)	(6)	(7)	(8)	SU
1969	(1)	.	1	.	2	.	.	.	.	3
	(2)	.	1	.	.	1	.	1	.	3
	(3)	.	2	1	5	1	.	.	.	9
	(4)	.	7	.	4	.	.	.	.	11
	(5)	.	.	.	.	1	.	1	.	2
	(6)	.	.	.	.	.	.	.	.	0
	(7)	.	4	.	6	.	.	7	.	17
	(8)	.	.	.	.	.	1	.	1	2
	SU	0	15	1	17	3	1	9	1	47

Zu-/Abgänge bei (2) = 14/2; chi² = 8,0; d.f. = 1
Zu-/Abgänge bei (7) = 2/10; chi² = 5,3; d.f. = 1

In der Öffentlichkeit von Ausschußberatungen sehen zu Beginn ihrer Amtszeit zahlreiche Abgeordnete offenbar einen Meilenstein auf dem Wege zur größeren Transparenz parlamentarischer Prozesse. Nach drei Jahren Arbeit in eben diesen Ausschüssen ist in bezug auf diese Forderung geradezu ein massenhafter Abfall festzustellen (Tabelle I/3). Öffentlichkeit parlamentarischer Arbeit scheint nur für Außenstehende ein zentraler Wert zu sein.

Tabelle I/3 *Einstellungen zur Öffentlichkeit von Ausschußberatungen*

Frage: Sehen Sie gewichtige Gründe, die gegen die Öffentlichkeit von Ausschußberatungen sprechen?

Antwort: (1) Generell für Öffentlichkeit
(2) Mit Einschränkungen für Öffentlichkeit
(3) Generell gegen Öffentlichkeit

		1972 (1)	(2)	(3)	SU
1969	(1)	2	10	9	21
	(2)	0	6	3	9
	(3)	1	2	14	17
	SU	3	18	26	47

Zu-/Abgänge bei (1) = 1/19; chi^2 = 16,2; d.f. = 1

Für die These der gesunkenen Relevanz extraparlamentarischer und einer steigenden Relevanz innerparlamentarischer Faktoren sprechen auch die Meinungsänderungen zum Einfluß der Verbände, bezüglich außerparlamentarischer Gruppen und Bürgerinitiativen sowie die Geringschätzung parlamentsexterner zugunsten parlamentsinterner Reformwiderstände (Restriktionen). War ursprünglich die überwiegende Mehrheit der Auffassung, daß der Einfluß der Verbände für die Unabhängigkeit des Abgeordneten gefährlich sei, so trifft das nach drei Jahren nur noch für eine vergleichsweise kleine Zahl zu (Tabelle I/4). War zu Anfang eine große Zahl der Auffassung, daß außerparlamentarische Gruppen und Bürgerinitiativen zu Recht darüber klagten, ihre Vorstellungen würden vom Staat kaum berücksichtigt, so sind bei der Zweitbefragung weit weniger Abgeordnete dieser Meinung. Die Nennungen unter „berechtigt" nehmen stark ab, die unter „unberechtigt" stark zu (Tabelle I/5).
Für die in der BRD seit einiger Zeit geführte Reformdiskussion besonders aufschlußreich ist der folgende Befund: Mit der Arbeit innerhalb politischer Institutionen verschiebt sich offenbar auch die Einschätzung der Reform-

Tabelle I/4 *Einfluß der Verbände und Abgeordnetenunabhängigkeit*

Frage: Stimmt es eigentlich, daß der Einfluß der Verbände für die Unabhängigkeit des Abgeordneten gefährlich ist?

Antwort:
(1) Ja
(2) Unentschieden
(3) Nein

		1972 (1)	(2)	(3)	SU
1969	(1)	14	15	5	34
	(2)	0	5	3	8
	(3)	0	2	4	6
	SU	14	22	12	48

Zu-/Abgänge bei (1) = 0/20; chi^2 = 20; d.f. = 1

Tabelle I/5 *Über die Klagen außerparlamentarischer Gruppen*

Frage: Außerparlamentarische Gruppen klagen doch oft darüber, daß ihre Vorstellungen in den staatlichen Entscheidungsinstanzen kaum berücksichtigt werden. Halten Sie diese Klagen für berechtigt?

Antwort:
(1) Ja
(2) Zum Teil
(3) Nein

		1972 (1)	(2)	(3)	SU
1969	(1)	4	5	8	17
	(2)	4	5	2	11
	(3)	2	1	8	11
	SU	10	11	18	39

Zu-/Abgänge bei (1) = 6/13; chi^2 = 2,57; d.f. = 1
Zu-/Abgänge bei (3) = 10/3; chi^2 = 3,76; d.f. = 1

widerstände — wenn auch nicht signifikant — von organisationsexternen Restriktionen — „Schwierigkeiten durch Interessengruppen" — zu organisationsinternen Restriktionen — „rechtliche/organisatorische Schwierigkeiten" — (Tabelle I/6). Sehr viel genauer als bisher sollte der Frage nachgegangen werden, wie weit ein Zusammenhang zwischen der Perzeption typischer Reformwiderstände und der Tätigkeit innerhalb bzw. außerhalb des politisch-administrativen Systems besteht.

Tabelle I/6 *Über die Schwierigkeiten von Reformen*

Frage: Woran liegt es, daß die von Ihnen genannten Reformen von Politikern bisher noch nicht aufgegriffen wurden (1. Nennung)?

Antwort:
(1) Schwierigkeiten durch Interessengruppen
(2) Finanzielle/ökonomische Schwierigkeiten
(3) Rechtliche/organisatorische Schwierigkeiten
(4) Technische Schwierigkeiten
(5) Aufklärung der Bevölkerung
(6) Bisher wurden andere Prioritäten gesetzt

		1972						
		(1)	(2)	(3)	(4)	(5)	(6)	SU
1969	(1)	1	1	4	.	2	.	8
	(2)	.	.	1	1	.	.	2
	(3)	1	.	2	.	.	.	3
	(4)	.	.	1	.	.	.	1
	(5)	.	.	1	.	.	.	1
	(6)	.	.	.	.	.	.	0
	SU	2	1	9	1	2	0	15

Veränderungen in den Antworten auf die Frage nach der Tageseinteilung des Abgeordneten weisen auf eine Möglichkeit der Verursachung des von uns diagnostizierten Trends (Tabelle I/7). Bei der Erstbefragung geben die Abgeordneten zu etwa gleichen Teilen an, ihre Zeit mit Aktenstudium, mit politischen Gesprächen bzw. auf andere Weise zu verbringen. Ex post (also bei der zweiten Befragung, drei Jahre später) geht der Anteil jener, die ihre Zeit vornehmlich mit Aktenstudium verbringen, beträchtlich zurück, und es nehmen diejenigen zu, die ihre Zeit überwiegend mit politischen Gesprächen verbringen. Da — wie die Resultate der Kommunikationsforschung zeigen — ein enger Zusammenhang zwischen Einstellungsänderungen und interpersoneller Kommunikation besteht, deutet dieser Befund auf eine zunehmende soziale Integration des Neuparlamentariers in den parlamentarischen Kontext. Auf jeden Fall deutet er in Richtung auf eine zunehmende Auseinandersetzung mit Meinungen und Wertungen anderer Angehöriger der Organisation und dementsprechend auf eine abnehmende Aufmerksamkeit für Auseinandersetzungen mit extraparlamentarischen Personen und Problemen.

Tabelle I/7 *Zum Tagesablauf in Bonn*

Frage: Haben Sie schon eine Vorstellung, wie Ihr Tagesablauf in Bonn aussehen wird? Werden Sie die meiste Zeit in Ihrem Zimmer sitzen und Akten durcharbeiten oder werden Sie mehr Zeit mit politischen Gesprächen oder auf andere Weise verbringen?
(2. Befragung:) Wie sieht denn nun so Ihr Tagesablauf in Bonn aus? Sitzen Sie die meiste Zeit in Ihrem Zimmer und arbeiten Akten durch, verbringen Sie mehr Zeit mit politischen Gesprächen oder auf andere Art und Weise?

Antwort:
(1) Überwiegend Aktenstudium
(2) Überwiegend politische Gespräche
(3) Auf andere Weise
(4) Noch keine feste Vorstellung

		1972 (1)	(2)	(3)	SU
1969	(1)	1	5	5	11
	(2)	3	8	4	15
	(3)	0	7	3	10
	SU_1	4	20	12	36
	(4)	2	5	4	11
	SU_2	6	25	16	47

Zu-/Abgänge bei (1) = 3/10; chi^2 = 3,77; d.f. = 1

2. Die These von der zunehmenden Betriebsblindheit

Seit ihren Anfängen in den dreißiger Jahren steht im Zentrum der modernen Organisationsforschung das Problem der Informationsverarbeitung oder — wie es heute vielfach genannt wird — das Problem der Reduzierung von Komplexität. Steigende Aufgaben bedeuten steigenden Bedarf an Informationsverarbeitung. Für Parlament, Regierung und Regierungsbürokratie

trifft dies ebenso zu wie für jede andere komplexe Organisation. Die Parlamentsforschung hat indessen schon jetzt in hinlänglicher Klarheit aufgezeigt, daß sich für den Bundestag im eben genannten Verbund politischer Organisationen dabei gesonderte Probleme stellen. Steigenden Anforderungen standen hier in den vergangenen Jahren und Jahrzehnten nahezu gleichbleibende organisatorische und informationelle Ressourcen gegenüber. Das viel beklagte „Initiativübergewicht der Exekutive" muß in direktem Zusammenhang mit dieser stagnierenden Informationsverarbeitungskapazität des Parlaments gesehen werden. De facto folgt daraus seine rückläufige Kontrollfähigkeit gegenüber Regierung und Ministerialbürokratie.
Wie sieht der Parlaments-Neuling zu Beginn seiner Amtszeit dieses nicht nur an die „Nerven", sondern auch an die „Muskeln" parlamentarischer Systeme gehende Dilemma? Wie ändert sich seine Einschätzung dieses Dilemmas im genannten Zeitraum? Welchen Änderungen unterliegt sein Wille zur Kontrolle von Exekutive und Ministerialbürokratie?
Bei der Erstbefragung halten 13 Abgeordnete den Zugang zu den von ihnen benötigten Informationen für schwierig; für nicht schwierig halten ihn 20 Abgeordnete. Ex post antworten 7 Abgeordnete mit „schwierig", 26 mit

Tabelle I/8 *Über das Informationsproblem*

Frage: Es ist ja heute ungeheuer schwer für den einzelnen Abgeordneten, sich die notwendigen Informationen zu beschaffen. Wie glauben Sie, daß Sie dieses Problem lösen werden?
(2.Befragung:) Wie haben Sie dieses Problem bisher gelöst?

Antwort: (1) Hält den Zugang zu Informationen für schwierig
(2) Hält den Zugang zu Informationen für nicht schwierig

		1972 (1)	(2)	SU
1969	(1)	4	9	13
	(2)	3	17	20
	SU	7	26	33

(1)/(2) = 3/9; chi^2 = 3,0; d.f. = 1

„nicht schwierig" (Tabelle I/8). Die Anzahl derjenigen, die in ihrer Arbeit auf informationelle Restriktionen stoßen, nimmt also stark ab zugunsten der Anzahl derjenigen, bei denen dies nicht der Fall zu sein scheint. Dieser

Befund läßt unseres Erachtens folgende Interpretationsmöglichkeiten zu: (a) Die informationellen Restriktionen sind tatsächlich geringer als ursprünglich erwartet; (b) die ursprünglichen Erwartungen waren korrekt, aber das Interesse der Abgeordneten an Informationsverarbeitung hat nachgelassen; (c) die Abgeordneten stoßen auf keine gravierenden Restriktionen, weil ihre Informationssuche an den vorhandenen Restriktionen vorbeigeht. Eine gesicherte Eingrenzung der genannten Interpretationsmöglichkeiten wird erst nach Hinzunahme weiterer Befunde gelingen können.
Ein den eben angeführten Meinungsänderungen entsprechendes Ergebnis zeigt sich auch bei der Einschätzung der Informationsprobleme der Opposition im Vergleich zur Regierungsfraktion. Der Anteil derjenigen, die bei der Opposition größere Schwierigkeiten der Informationsbeschaffung sehen, geht zurück zugunsten des Anteils derjenigen, die dabei für Regierungsfraktion und Opposition keine Unterschiede mehr machen (Tabelle I/9). Eine Übereinstimmung dieser beiden Befunde kann darin gesehen werden, daß sich in ihnen — zumindest tendenziell — eine Informationssättigung der Neuparlamentarier vor allem in den Regierungsfraktionen widerspiegelt, gemessen am ursprünglich erwarteten Bedarf.

Tabelle I/9 *Zu den Informationsproblemen der Opposition*

Frage: Glauben Sie, daß es für die Oppositionspartei schwieriger ist, sich die nötigen Informationen zu beschaffen als für die Abgeordneten der Regierungsparteien?

Antwort:
(1) Schwieriger
(2) Nicht schwieriger
(3) Weiß nicht

		1972 (1)	(2)	SU
1969	(1)	31	8	39
	(2)	3	0	3
	SU	34	8	42
	(3)	0	1	1
	SU	34	9	43

(1)/(2) = 3/8; chi^2 = 2,27; d.f. = 1

Einer Reduktion der dafür genannten drei Gründe auf zwei oder gar einen sind wir dadurch indessen noch keineswegs näher. Möglich wäre dies nur durch Erhebung von Meinungen in Bezug auf Probleme, bei denen ein — für jedermann nachprüfbarer — hoher Informationsbedarf besteht. Diese Bedingung ist bei Haushaltsfsragen in einem Maße gegeben wie wohl in keinem anderen Entscheidungsbereich. Überprüfung des Haushaltsentwurfs ist das klassische Instrument parlamentarischer Kontrolle der Exekutive. Zugleich handelt es sich hierbei um ein Problem, zu dessen Bewältigung extrem hohe Anforderungen an die Informationsverarbeitungsfähigkeit des Abgeordneten gestellt werden.

Auf die Frage nach der Nützlichkeit einer Überprüfung der im Haushalt „versteinerten" Ausgaben glauben 1969 nur 10 Abgeordnete, daß diese Prüfung bereits stattfindet. Der Rest ist davon überzeugt, daß die bisherige Haushaltskontrolle des Parlaments unzureichend ist oder hält diese Überprüfung ohnehin für zwecklos. 1972 zeichnet sich hier ein „Erdrutsch" zugunsten der Kategorie „Überprüfung findet statt" ab (Tabelle I/10). Wie läßt sich das interpretieren?

Wir sind der Meinung, daß zusammengenommen mit den beiden vorher angeführten Befunden hier ein Rückgang im Bedürfnis nach umfassender Problemsicht und im Kontrollwillen von Seiten der Neuparlamentarier zum Ausdruck kommt. Auf jeden Fall sollte noch viel genauer, als das bisher in der Forschung geschehen ist, der Frage nachgegangen werden, wieweit die beobachtbare Informationssättigung und das zunehmende Vertrauen der Abgeordneten in die gängige Praxis der Haushaltskontrolle Indikatoren zunehmender Betriebsblindheit sind. Unter Betriebsblindheit verstehen wir dabei zweierlei:

a) Zunehmende Konzentration auf Detailprobleme bei rückläufigem Willen zu umfassender Problemsicht;
b) Zunehmende Resignation vor der subjektiv nicht mehr reduzierbaren Komplexität gewichtiger politischer Entscheidungen und eine daraus resultierende nur noch marginale Kontrollfähigkeit der Exekutive durch das Parlament.

Die genannten und im folgenden noch zu erläuternden Befunde sprechen unseres Erachtens dafür, daß die in der Zweitbefragung festgestellte Informationssättigung der Abgeordneten eher Ausdruck ihrer Informationsüberlastung bzw. ihrer an den tatsächlichen Restriktionen vorbeigehenden Informationssuche ist und nicht einer verbesserten Einsicht in das Informationsgefälle zwischen ihnen und der Exekutive entspringt. Welche andere als die

Tabelle I/10 *Zur Behandlung des Haushaltsentwurfs*

Frage: Die Verabschiedung der Haushalte gehört ja zu den wichtigsten Aufgaben des Parlaments. Im Haushaltsplan ist aber der größte Teil der Ausgaben durch gesetzliche Bindungen schon festgelegt, so daß der Bundestag für neue Aufgaben nur wenig finanzielle Mittel zur Verfügung hat. Würden Sie es für sinnvoll halten, daß man bei jeder Verabschiedung eines neuen Haushaltsplanes die Möglichkeit hat, die festgelegten Ausgaben noch einmal darauf hin zu überprüfen, ob es immer noch richtig ist, sie so und nicht anders zu verwenden?

Antwort: (1) Überprüfung findet statt, Spielraum reicht aus
(2) Überprüfung findet nicht statt, wäre sinnvoll
(3) Überprüfung über den bisherigen Rahmen hinaus zwecklos
(4) Kann das noch nicht beurteilen

		1972 (1)	(2)	(3)	SU
1969	(1)	3	5	2	10
	(2)	11	9	3	23
	(3)	7	2	3	12
	SU	22	16	8	45
	(4)	1	0	2	3
	SU	23	16	10	48

Zu-/Abgänge bei (1) = 18/7; chi² = 4,8; d.f. = 1
Zu-/Abgänge bei (2) = 7/14; chi² = 2,3; d.f. = 1

genannte Deutung liegt nahe, wenn bei der Zweitbefragung auf einmal eine große Zahl der Abgeordneten auf eine „uneingeschränkte" Einsicht in die Akten der Ministerialbürokratie verzichtet, sie für nicht erforderlich bzw. „schädlich" hält (Tabelle I/11), wenn nun nur 6 Abgeordnete statt zuvor 13 glauben, daß die Angewiesenheit auf den Sachverstand der Ministerialbürokratie schlecht, aber unvermeidlich ist; wenn nun plötzlich 42 Abgeordnete statt ursprünglich 30 dieser Angewiesenheit gegenüber Gleichgültigkeit zum Ausdruck bringen und am Ende niemand mehr diesen Zustand für schlecht und änderungsbedürftig hält — ursprünglich waren es immerhin 5 (Tabelle I/12)?

Tabelle I/11 *Zum Recht auf Einsicht in die Akten der Ministerialbürokratie*

Frage: Sollte Ihrer Meinung nach der Abgeordnete ein unbeschränktes Recht auf Einsicht in die Akten der Ministerialbürokratie haben, oder finden Sie, daß das eine Sache des persönlichen Vertrauens zwischen ihm und dem zuständigen Referenten sein sollte?

Antwort:
(1) Uneingeschränkte Einsicht in die Akten erforderlich
(2) Akteneinsicht nur bei fortgeschrittenem Verfahrensstand erforderlich
(3) Nur über Minister und/oder Vertrauensleute erforderlich
(4) Akteneinsicht sollte vom gegenseitigen persönlichen Vertrauen abhängig sein
(5) Akteneinsicht überflüssig oder sogar schädlich

		1972					
		(1)	(2)	(3)	(4)	(5)	SU
1969	(1)	10	8	1	5	4	28
	(2)	1	2	1	1	3	8
	(3)	0	4	0	1	1	6
	(4)	2	0	0	0	0	2
	(5)	1	0	1	0	0	2
	SU	14	14	3	7	8	46

Zu-/Abgänge bei (1) = 4/18; chi^2 = 8,9; d.f. = 1
Zu-/Abgänge bei (1+2) = 7/15; chi^2 = 2,9; d.f. = 1

Und wie steht es mit der allgemeinen Kontrollmotivation der Neuparlamentarier gegenüber der Exekutive — einmal abgesehen von der Frage der Haushaltsüberprüfung — sinkt sie, steigt sie oder bleibt sie gleich? Direkt danach befragt, ob sie die Möglichkeit einer Kontrolle für erweiterungsbedürftig halten oder nicht, antwortet ursprünglich nur eine Minderheit mit „nein“, einige mit „weiß nicht“, die Mehrheit antwortet mit „ja“. Nach drei Jahren Parlamentserfahrung verkehrt sich dieses Bild geradezu. Die Zahl derer, die die Kortrollkompetenz des Parlaments erweitert sehen möchten, sinkt ab, die Gruppe derjenigen, die auf eine solche Erweiterung verzichten, hat geradezu stürmischen Zulauf (Tabelle I/13).

Tabelle I/12 *Abhängigkeit von der Ministerialbürokratie (A)*

Frage: Glauben Sie, daß sie auf den Sachverstand der Ministerialbeamten angewiesen sein werden, oder haben Sie vor, sich weitgehend anderer Informationsinstanzen zu bedienen?
(2. Befragung:) Sind Sie auf den Sachverstand der Ministerialbeamten angewiesen oder bedienen Sie sich weitgehend anderer Beratungs- und Informationsinstanzen?

Antwort:
(1) Hält die Angewiesenheit für schlecht, aber unvermeidlich
(2) Steht dem Problem gleichgültig gegenüber
(3) Hält die Angewiesenheit für schlecht und findet, daß das geändert werden soll

		1972 (1)	(2)	(3)	SU
1969	(1)	3	10	0	13
	(2)	3	27	0	30
	(3)	0	5	0	5
	SU	6	42	0	48

(1+3)/(2) = 3/15; chi² = 8,0; d.f. = 1

Tabelle I/13 *Kontrolle der Regierung*

Frage: Meinen Sie, daß die Kontrollmöglichkeiten des Abgeordneten (gegenüber der Regierung) erhöht werden sollten?

Antwort:
(1) Nein
(2) Ja
(3) Weiß nicht

		1972 (1)	(2)	SU
1969	(1)	10	1	11
	(2)	11	13	24
	SU	21	14	35
	(3)	6	3	9
	SU	27	17	44

(1)/(2) = 11/1; chi² = 8,3; d.f. = 1

3. Die These von der zunehmenden Konvergenz

Wenn schon als sicher unterstellt werden kann, daß der Neuparlamentarier in seinem Denken auch durch die besonderen Bedingungen seiner neuen beruflichen Umgebung beeinflußt wird, so müssen wir uns fragen, ob diese besonderen Bedingungen — insoweit sie für alle Abgeordneten in gleicher Weise gelten — nicht auch ihre Meinungen *in gleicher Richtung* beeinflussen. Unterschiede, die in den Meinungen anfangs noch bestehen, könnten durch die gemeinsame Arbeit in derselben Organisation konvergieren. Das muß nicht heißen, daß politische Kontroversen mit der zunehmenden Eingewöhnung des Neuparlamentariers seltener werden. Was durch das Partei- und durch das Wahlprogramm in das Zentrum der parlamentarischen Aufmerksamkeit erst einmal gerückt ist, steht auch gegenüber der Öffentlichkeit zu sehr unter Kontrolle, als daß „auf Schleichwegen" von ihm abgewichen werden könnte.
Doch Parlamentarier sind nicht nur Umsetzer eines parteipolitisch vorgegebenen Willens. Durch ihre Wahl zu Vertretern „des ganzen deutschen Volkes" nehmen sie von bevorzugter Stelle aus auch an der parteipolitischen und parlamentarischen Willensbildung teil. Unter diesem Gesichtspunkt ist nicht nur von Interesse, wie der einzelne Parlamentarier über aktuelle politische Themen denkt, sondern auch, was er für Vorstellungen und Meinungen von Problemen hat, die noch nicht auf die politische Tagesordnung gekommen sind. Von seiner Erkenntnisbereitschaft gegenüber diesen Problemen und von seiner Bereitschaft, sich für sie einzusetzen, hängt es ab, ob er eher aktiv Politik mitgestaltet oder ob er sich überwiegend reaktiv den andernorts erzeugten Strömungen in der Politik anhängt. Auch hängen davon die Chancen eines politisch gesteuerten sozialen Wandels ab, sofern man das Parlament als Initiativzentrum nicht von vornherein abschreiben will.
Die Anlage unserer Untersuchung schließt repräsentative Aussagen über allgemeine Einstellungen der Parlamentarier des VI. Deutschen Bundestages aus. Sie erlaubt uns aber den Test auf eine uns sehr wesentlich erscheinende Hypothese, die nicht auf das Initiativpotential dieses historisch einmaligen Bundestages zielt, sondern auf den vermutlich dauerhaften Einfluß, den die parlamentarische Subkultur auf die Initiativkraft der Neuparlamentarier ausübt. Neuparlamentarier sind keine politischen Neulinge. Eher ist anzunehmen, daß sie die wichtigsten Akte der politischen Sozialisation, die jemand auf dem Weg zum Politprofi zu durchlaufen hat, bereits hinter sich gebracht haben. Insofern darf es nicht überraschen, wenn Neuparlamentarier bei einer breit angelegten Befragung in einer Reihe ganz bestimmter Fragen

die gleichen Antworten geben, wenn sie — um es für die weiteren Darlegungen sprachlich zu vereinfachen — in Hinblick auf abgrenzbare Bereiche der Politik überwiegend konforme Meinungen vertreten.
Doch der Prozeß der politischen Sozialisation ist, um die Kernthese der vorliegenden Untersuchung noch einmal in Erinnerung zu rufen, mit dem Eintritt in das Parlament nicht abgeschlossen. Er setzt sich im Bereich der parlamentarischen Subkultur weiter fort. Das bedeutet zugleich, daß sich manche Übereinstimmung, die unter den Neuparlamentariern anfangs noch herrschte, unter dem Einfluß der parlamentarischen Subkultur auflöst, und daß dafür in anderen Fragen die Meinungen konvergieren. Diesen Prozeß wollen wir Verschiebung des Konformitätsbereiches nennen. Er ist möglicherweise auf strukturelle Ursachen zurückzuführen, die wegen ihrer hohen Langlebigkeit der parlamentarischen Subkultur zugerechnet werden können. Die letzte Gewißheit hierüber würde allerdings nur eine Wiederholung unserer Untersuchung an einem anderen Deutschen Bundestag bringen.
Wie steht es nun mit der Verschiebung des Konformitätsbereiches: Gibt es sie tatsächlich unter den Neuparlamentariern während ihrer ersten Arbeitsjahre im Parlament, wie erheblich ist sie und vor allen Dingen: In welchen Bereichen erlahmt die Initiativkraft, wo sie zuvor vorhanden war, und in welchen Bereichen wird sie aktiviert? Diesen Fragen werden wir nachzugehen haben, doch ist vorher noch eine Ergänzung anzubringen:
Wenn aus den dargelegten Gründen schon jede signifikante Verschiebung des Konformitätsbereiches innerhalb des insgesamt erhobenen Meinungsfeldes von Interesse ist, so könnten sich noch wichtigere Schlußfolgerungen aus einer Konvergenz der Meinungen im Bereich dessen ergeben, was wir hier „allgemeine Orientierungen“ nennen wollen. Die allgmeinen Orientierungen des Parlamentariers umfassen seine Bewertung verschiedener Informationsquellen ebenso wie sein Selbstverständnis und seine Bewertung verschiedener Umsetzungsmöglichkeiten. Sie ist gewissermaßen die „Wellenlänge“, auf der der Parlamentarier „sendet“ und „empfängt“. Insofern ist die allgemeine Orientierung von besonders großer Bedeutung für die Offenheit und Lernfähigkeit des einzelnen Parlamentariers, also auch für die Frage, ob er sich überwiegend als Instrument zur Umsetzung des jeweiligen Mehrheitswillens seiner Partei bzw. Fraktion versteht oder ob er auch (und in welchem Maße) durch individuelle Rückbindung an andere Informationszentren der Gesellschaft einen eigenen aktiven Beitrag zur parlamentarischen Willensbildung leisten will.

a) Allgemeine Konvergenz der Meinungen

Zunächst einmal ist hervorzuheben, daß in Bezug auf die Gesamtheit der von uns erhobenen Meinungen von der ersten zur zweiten Befragung die Übereinstimmung unter den Neuparlamentariern insgesamt zunimmt. Diese Schlußfolgerung erlaubt eine Anordnung der Daten, in der für jeden einzelnen Abgeordneten errechnet wird, wieviele Fragen er mit jedem einzelnen anderen Abgeordneten übereinstimmend beantwortet hat. Die so entstehende Zahl wird zu den von beiden Abgeordneten insgesamt gegebenen gültigen Antworten ins Verhältnis gesetzt. So entsteht ein Maß für die relative „Ähnlichkeit" der Abgeordneten untereinander.
In Prozentzahlen übertragen ergeben sich hinsichtlich der durchschnittlichen Ähnlichkeit bei unserer Untersuchung die folgenden Werte: Während der Anteil der gleichen Antworten ex ante durchschnittlich bei 38,7 Prozent liegt, steigt er ex post auf 40,0 Prozent.

b) Verschiebung des Konformitätsbereichs

Durch eine andere Anordnung der Daten ist es möglich, bei jeder einzelnen Variablen festzustellen, wie stark sie zu der allgemeinen Konvergenz beigetragen hat. Für die 77 erhobenen Variablen ergibt sich dabei folgendes Bild:

— 35 Variablen zeigen eine Konvergenz der Meinungen an. Die Konvergenz variiert dabei zwischen 2 und 35 Prozent der theoretisch möglichen maximalen Übereinstimmung;
— 33 Variablen zeigen eine Divergenz von Meinungen mit einer Varianz von —2 bis —30 Prozent der theoretisch möglichen maximalen Übereinstimmung;
— 6 Variablen weisen eine konstante Konformität auf. (3 Variablen müssen aus technischen Gründen aus dieser Analyse ausgeschlossen bleiben.)

Es gibt also zum Teil doch beträchtliche Konvergenzen und Divergenzen, woraus geschlossen werden muß, daß sich der Konformitätsbereich innerhalb des von uns erhobenen Meinungsfeldes deutlich verschoben hat. Die folgende Tabelle I/14 enthält nur jene Meinungen, in deren Richtung entweder eine besonders starke Konvergenz oder eine besonders starke Divergenz der Auffassungen zu verzeichnen ist:

Tabelle I/14 *Verschiebung des Konformitätsbereichs*
(Aufgezählt sind die 25 extremsten Konvergenz- bzw. Divergenzwerte.)

Konvergenz: Ursprünglich uneinig, doch bei der zweiten Befragung weitgehend einig zeigen sich die Abgeordneten hinsichtlich der Meinungen, daß

— sie sich vom Fraktionszwang vorübergehend lösen würden, wenn ihnen ein beschlossener Kompromiß unzumutbar erscheint;
— sie länger als eine Wahlperiode im Parlament bleiben wollen;
— der Schwerpunkt ihrer Arbeit nicht bei Gesetzesinitiativen liege;
— ihnen das Problem des Informationsvorsprunges der Ministerialbürokratie gleichgültig sei;
— kleine und große Anfragen das wichtigste Kontrollinstrument des Parlaments darstellten;
— sie eine Hausmacht innerhalb des Parlaments für wirkungsvoller halten als eine Hausmacht außerhalb des Parlaments;
— sie eine Parlamentsreform für notwendig halten;
— sie kein Probleme mit dem Zugang zu Informationen hätten;
— das Motiv für ihre Kandidatur eigenes Interesse an bundespolitischer Arbeit sei;
— sie grundsätzlich aktiv würden, wenn die Presse auf einen Mißstand hinweist;
— sie die Gesetzgebung für die wichtigste Funktion des Parlaments halten;
— sie das Jura- und das Volkswirtschaftsstudium für die beste Grundlage parlamentarischer Arbeit halten.

Divergenz: Ursprünglich weitgehend einig, doch bei der zweiten Befragung uneinig zeigen sich die befragten Abgeordneten hinsichtlich der Meinungen, daß

— eine uneingeschränkte Einsicht in die Akten der Ministerialbürokratie erforderlich sei;
— es eine ungeschriebene Hierarchie der Bundestagsausschüsse gebe;
— das Berufsbeamtentum für den gesellschaftlichen Immobilismus ursächlich sei;
— die Anstellung von Abgeordnetenassistenten positive Erfahrungen brächten;
— man als unbequemer Abgeordneter in Bonn Karriere machen könne;

— es eine informelle Hierarchie unter den Abgeordneten gebe;
— es heute noch Klassenunterschiede in der Gesellschaft gebe;
— es für die Opposition schwieriger sei, sich die nötigen Informationen zu beschaffen als für die Abgeordneten der Regierungsparteien;
— Reformen in der Sozialstruktur vordringlich seien;
— Die Fraktion Druck ausüben könne auf Abgeordnete, die sich öffentlich gegen die Fraktionsmeinung stellen;
— die verbreitete Parlamentsverdrossenheit in der Öffentlichkeit auf die Selbstdarstellung des Parlaments zurückzuführen sei;
— es möglich wäre, daß sie sich eines Tages ganz der Politik widmen wollen.

Eine Analyse nur dieser Variablen mit ihren extrem hohen Konvergenzen und Divergenzen erlaubt in Hinblick auf die Verschiebung des Konformitätsbereichs unter den Neuparlamentariern gleich mehrere Schlußfolgerungen:

1) Zunächst fällt auf, daß sich die Parlamentarier zunehmend unabhängig fühlen. Sie würden sich gegebenenfalls vom Fraktionszwang lösen; sie glauben nicht, daß die Fraktion Druck ausüben könnte auf Abgeordnete, die sich vorübergehend vom Fraktionszwang lösen; sie halten den Einfluß der Verbände in Hinblick auf die Unabhängigkeit des Abgeordneten für ungefährlich. Selbst wenn man berücksichtigt, daß unter den knappen Mehrheitsverhältnissen der VI. Legislaturperiode der Wert einzelner Abgeordneter — wie kolportiert wurde — geradezu in Geldgrößen gehandelt worden ist, bleibt doch die starke Vermutung bestehen, daß es zum normierten Selbstverständnis des Abgeordneten gehört, sich unabhängig zu fühlen.
2) Ein weiteres wichtiges Merkmal der Konformitätsverschiebung ist die Art, in der die Parlamentarier ihre Informationsprobleme sehen. Sie gewinnen zunehmend die Überzeugung, daß ihnen die wichtigen Informationen ohne weiteres zugänglich seien, daß hierin auch kein Unterschied zwischen Regierungsfraktionen und Opposition bestehe. Das Problem des Informationsvorsprunges der Ministerialbürokratie gegenüber dem Abgeordneten — in der wissenschaftlichen Parlamentarismusdiskussion ein selbstverständlich vorausgesetzter Tatbestand — erscheint den Neuparlamentariern zunehmend irrelevant; so halten sie auch die Möglichkeit zur uneingeschränkten Einsicht in die Akten der Ministerialbürokratie für nicht erforderlich. Das Informationsproblem des einzelnen Abgeordneten, in Wissenschaft und Öffentlichkeit ein Kernstück aller Reformüberle-

gungen, scheint dem Bewußtsein des Neuparlamentariers im Laufe seiner Eingewöhnung in die parlamentarische Arbeit entzogen zu werden.

3) Ein drittes hervorragendes Merkmal der Konformitätsverschiebung betrifft den Bereich Parlamentarismusverständnis und Parlamentsreform. Hier fällt zunächst auf, daß zwar immer mehr Abgeordnete die Gesetzgebung für die wichtigste Funktion des Parlaments halten, daß sie gleichwohl den Schwerpunkt ihrer Arbeit nicht in der Gesetzesinitiative sehen. Das dürfte den offenkundigen Tatbeständen der Funktionsverteilung zwischen Regierung und Parlament entsprechen, und es verwundert geradezu, daß Neuparlamentarier für diese Auffassung erst noch gewonnen werden müssen. Wichtiger erscheint, daß eine zunehmende Anzahl von Neuparlamentariern eine Parlamentsreform für notwendig halten — wobei der Verschiebung des Konformitätsbereichs allerdings nur wenige Informationen über das Ziel dieser Reform zu entnehmen sind.
Der gesamte Bereich informeller parlamentarischer Strukturen erscheint dem Neuparlamentarier zunehmend heterogen: Auf der einen Seite hält er eine Hausmacht innerhalb des Parlaments für wirkungsvoller als eine Hausmacht außerhalb des Parlaments und kann sich zudem immer weniger vorstellen, daß man auch als unbequemer Abgeordneter in Bonn Karriere machen kann. Offenbar setzt sich mehr und mehr die Überzeugung durch, daß der politische Entscheidungsprozeß weniger auf einer informellen Hackordnung, statt dessen auf freier Gruppen- und Koalitionsbildung beruht. An anderer Stelle wird noch zu prüfen sein, ob dieses Bild, das sich der Neuparlamentarier im Laufe seiner Eingewöhnung vom Parlament macht, den Tatsachen entspricht, oder ob es sich dabei um eine Schutzbehauptung oder Ideologisierung handelt. So bleibt als einziges eindeutiges Motiv dieses zunehmenden Willens zur Parlamentsreform die Unzufriedenheit mit der Einrichtung von Abgeordnetenassistenten erkennbar — ein freilich recht oberflächlich wirkender Ansatzpunkt für eine Parlamentsreform, der auch durch die in der Auswahl der Fragen liegende Verengung nicht nennenswert relativiert werden kann.

c) Allgemeine Orientierungen

Wenden wir uns nun der Frage der allgemeinen Orientierungen zu. Gibt es auf Grund unserer Daten Anhaltspunkte für die Annahme, daß die parlamentarische Subkultur eine Art standardisierter Bewertung möglicher Informationsquellen und Umsetzungsmöglichkeiten umschließt, und daß der Neuparlamentarier diese Bewertung nach und nach zu seiner eigenen macht? Im folgenden wollen wir prüfen, wie sich Meinungen der Neuparlamentarier gegenüber Presse, Wissenschaft, Ministerialbürokratie, Regierung sowie von der günstigsten Ausbildung verändert haben.

Verhältnis zur Presse

Erwartunugsgemäß hält es schon ex ante kein Neuparlamentarier für ausreichend, wenn nur die Fraktionsspitze Kontakt zur Presse unterhält. Die überwiegende Mehrheit ist der Auffassung, daß der persönliche Kontakt zu den Bonner Pressevertretern wichtig sei. Immerhin halten 8 Abgeordnete den Kontakt lediglich zur Presse ihres Wahlkreises für ausreichend, ex post jedoch nur noch 2. Die Übereinstimmung in dieser Frage nimmt also weiterhin zu (Tabelle I/15).

Tabelle I/15 *Kontakte zur Presse*

Frage: Genügt es Ihrer Meinung nach, wenn die Fraktionsspitze Kontakt zur Presse hält, oder finden Sie auch den persönlichen Kontakt einzelner Abgeordneter zur Presse wichtig?

Antwort: (1) Persönlicher Kontakt wichtig
(2) Persönlicher Kontakt nur zur Presse im Wahlkreis wichtig

		1972 (1)	(2)	SU
1969	(1)	38	1	39
	(2)	7	1	8
	SU	45	2	47

Ein weiterer Beleg für die Annahme, daß das Verhältnis zur Presse durch die Rolle des Parlamentariers vorgezeichnet ist, ergibt sich aus dem folgenden Befund: Während ex ante nur 28 Abgeordnete grundsätzlich aktiv würden, wenn sie von der Presse auf einen Mißstand aufmerksam gemacht werden, werden ex post 35 grundsätzlich aktiv (Tabelle I/16). Auch hier nimmt also die Übereinstimmung der Neuparlamentarier zu.

Aus diesen Angaben darf allerdings nicht geschlossen werden, daß der Parlamentarier sehr viel von der Presse hält. Im Gegenteil: Auf die Frage, in

Tabelle I/16 *Hinweise der Presse auf Mißstände*

Frage: Nehmen wir einmal an, Sie werden durch die Presse auf einen Mißstand aufmerksam. Würden Sie auch da aktiv werden (2. Befragung: Werden Sie auch da aktiv?) oder finden Sie, daß das über den Aufgabenbereich eines Abgeordneten hinausgeht?

Antwort: (1) Wird grundsätzlich aktiv
(2) Wird unter bestimmten Umständen aktiv

		1972 (1)	(2)	SU
1969	(1)	25	3	28
	(2)	10	5	15
	SU	35	8	43

(1)/(2) = 10/3; chi² = 3,76; d.f. = 1

Tabelle I/17 *Zwecke von Pressekontakten*

Frage: Was versprechen Sie sich vom perönlichen Kontakt des Abgeordneten zur Presse?

Antwort: (1) Dem Informationsbedürfnis der Öffentlichkeit genügen
(2) Persönliche Profilierung
(3) Informationsaustausch mit Journalisten
(4) Sonstiges

		1972 (1)	(2)	(3)	(4)	SU
1969	(1)	3	1	2	4	10
	(2)	5	2	0	1	8
	(3)	6	1	6	2	15
	(4)	1	0	4	0	5
	SU	15	4	12	7	38

welchem Kreise sie die allgemein gut informierten Leute in Bonn vermuten, nennen ex ante 17, ex post nur noch 9 Abgeordnete zuerst die Presse (Tabelle I/2). In der gleichen Richtung liegt es auch, wenn sich von dem persönlichen Kontakt zur Presse ex ante noch 23 Abgeordnete Chancen zu einem produktiven Informationsaustausch oder zur persönlichen Profilierung versprechen, ex post nur noch 16. Statt dessen begründen sie die Notwendigkeit ihres persönlichen Kontaktes zur Presse verstärkt mit dem Informationsbedürfnis der Öffentlichkeit (Tabelle I/17).
Was immer Neuparlamentarier zu Beginn ihrer parlamentarischen Laufbahn über die Presse denken, ihre Meinung und ihr Verhältnis zur Presse konvergieren offenbar in die folgende Richtung: Der persönliche Kontakt zur Presse erscheint dem Parlamentarier sehr wichtig, aber nicht etwa, weil er die tägliche Anregung und Kritik des Journalisten schätzt, sondern weil er die Presse als Stimmungsbarometer und wichtigen Mitproduzenten großer Meinungsbewegungen unter den Wählern ansieht. Diese Einschätzung des Einflusses der Presse ist wesentlich eindeutiger, als es der Stand der gegenwärtigen Mediendiskussion in der Wissenschaft nahelegen würde. Sie überrascht nicht, wenn man den Daten jene Sozialisation des neuparlamentarischen Einzelkämpfers zu einem insbesondere um die Beschaffung und Erhaltung von Massenloyalität besorgten Politprofi entnimmt.

Verhältnis zur Wissenschaft

Wir fragten die Neuparlamentarier:
„Angenommen, wissenschaftliche Ergebnisse und Wissenschaftler würden Ihnen in optimaler Weise zur Verfügung stehen. Glauben Sie, daß sich unter solchen Bedingungen der Bereich politischer Entscheidungen wesentlich einschränken ließe zugunsten von reinen Sachentscheidungen?"
Der Befund zeigt eine deutliche Konvergenz in Richtung der Meinung, Politik könne nicht durch Sachentscheidungen ersetzt werden. Während ex ante noch 19 Abgeordnete es für möglich halten, daß politische Entscheidungen Sachentscheidungen sind, glauben das ex post nur noch 5. Dagegen steigt die Anzahl derjenigen, die an eine Vergrößerung des politischen Entscheidungsspielraumes durch wissenschaftliche Beratung glauben, von 1 auf 10 massiv an (Tabelle I/18).
In dem Befund spiegelt sich eine zunehmende Abkehr von technokratischen Orientierungen wider. Das ist insofern überraschend, als Mitglieder der Ministerialbürokratie und häufig auch Regierungsmitglieder dazu neigen, politische Entscheidungen als Sachentscheidungen zu begreifen oder sie als solche nur darzustellen, um sich dadurch einer kräfteverzehrenden Diskussion zu entziehen.

Tabelle I/18 *Politik, Wissenschaft und Sachzwang*

Frage: Angenommen, wissenschaftliche Ergebnisse und Wissenschaftler würden Ihnen in optimaler Weise zur Verfügung stehen. Glauben Sie, daß sich unter solchen Bedingungen der Bereich politischer Entscheidungen wesentlich einschränken ließe zugunsten von reinen Sachentscheidungen?

Antwort:
(1) Nein
(2) Politische Entscheidungen sind Sachentscheidungen
(3) Im Gegenteil, der Spielraum politischer Entscheidungen wird größer

		1972 (1)	(2)	(3)	SU
1969	(1)	12	4	5	21
	(2)	13	1	5	19
	(3)	1	0	0	1
	SU	26	5	10	41

Zu-/Abgänge bei (2) = 4/18; chi^2 = 8,9; d. f. = 1
Zu-/Abgänge bei (3) = 10/1; chi^2 = 7,3; d. f. = 1

Die parlamentarische Subkultur scheint eine Ablehnung dieses Sachzwangargumentes mit zu umfassen, was möglicherweise seinen Grund in einer latenten institutionellen Gegnerschaft von Parlament und Regierungsbürokratie hat. Insofern kann aus den oben wiedergegebenen Antworten nicht ohne weiteres auf eine Veränderung des Verhältnisses zur Wissenschaft geschlossen werden. Die Materiallage erlaubt auch keine weitergehenden Interpretationen.

Verhältnis zur Ministerialbürokratie

Eine starke Konvergenz der Auffassungen gibt es hinsichtlich der Frage, ob der Parlamentarier auf den Sachverstand der Ministerialbürokratie angewiesen ist. Zwar sind schon ex ante die meisten Abgeordneten der Meinung, daß der Sachverstand der Ministerialbürokratie und der anderer Instanzen für sie gleich wichtig sei, doch vergrößert sich diese Gruppe von 27 auf ex post 34. Während ex ante noch 11 Abgeordnete glauben, nicht auf den Sachverstand der Ministerialbürokratie angewiesen zu sein, glauben das ex post nur noch 2 (Tabelle I/19). Die Bedeutung, die der Ministerialbürokratie unter rein informationellen Gesichtspunkten von den Abgeordneten beigemessen wird, konvergiert mithin auf ein höheres Niveau.

Tabelle I/19 *Abhängigkeit von der Ministerialbürokratie*

Frage: Glauben Sie, daß Sie auf den Sachverstand der Ministerialbeamten angewiesen sein werden, oder haben Sie vor, sich weitgehend anderer Informationsinstanzen zu bedienen?
(2. Befragung:) Sind Sie auf den Sachverstand der Ministerialbeamten angewiesen oder bedienen Sie sich weitgehend anderer Beratungs- und Informationsinstanzen?

Antwort: (1) Angewiesen
(2) Nicht angewiesen
(3) Beides wichtig

		1972 (1)	(2)	(3)	SU
1969	(1)	3	2	4	9
	(2)	1	0	10	11
	(3)	7	0	20	27
	SU	11	2	34	47

Zu-/Abgänge bei (2) = 2/11; $chi^2 = 6{,}3$; d.f. = 1

Umso mehr überrascht der folgende Befund: 20 von 49 befragten Neuparlamentariern geben bei ihrem Einzug ins Parlament an, daß die Ministerialbürokratie einen unvermeidbaren Informationsvorsprung habe. Drei Jahre später glauben daran nur noch 5 Abgeordnete. Von 7 auf 17 vergrößert sich die Gruppe derjeniger, die meinen, der Einfluß der Ministerialbürokratie werde überschätzt. Insgesamt setzt sich aber die Auffassung durch, der Einfluß des Abgeordneten gegenüber der Ministerialbürokratie müsse erhöht werden. Zu ihren Anhängern zählen ex ante 22, ex post mit 27 mehr als die Hälfte der befragten Neuparlamentarier. Es liegt nahe, das Understatement jener Gruppe, die den Einfluß der Ministerialbürokratie für überschätzt hält, der zunehmenden Betriebsblindheit zuzurechnen: Der Neuparlamentarier schätzt im Laufe seiner Eingewöhnung seinen eigenen Einfluß im Verhältnis zu dem der Ministerialbürokratie immer höher ein, weil er ihn zunehmend an politischen Problemen mißt, mit denen er sich tatsächlich beschäftigt, und nicht an solchen, die er zu Beginn seiner parlamentarischen Laufbahn für wichtig gehalten hatte (Tabelle I/20).

Tabelle I/20 *Zum Einfluß der Ministerialbürokratie*

Frage: Wenn man bedenkt, daß die Ministerialbürokratie nicht nur an der Durchführung von Gesetzen beteiligt ist, sondern auch maßgeblich an der Auswahl und Vorbereitung von Gesetzesinitiativen mitwirkt, erscheinen die Einflußmöglichkeiten der einzelnen Abgeordneten dann nicht vergleichsweise begrenzt?

Antwort:
(1) Einfluß der Ministerialbürokratie wird überschätzt
(2) Einfluß der Abgeordneten muß erhöht werden
(3) Der Informationsvorsprung der Ministerialbürokratie ist unvermeidbar

		1972 (1)	(2)	(3)	SU
1969	(1)	2	5	0	7
	(2)	8	12	2	22
	(3)	7	10	3	20
	SU	17	27	5	49

Zu-/Abgänge bei (1) = 15/5; chi^2 = 5,0; d.f. = 1
Zu-/Abgänge bei (3) = 2/17; chi^2 = 11,8; d.f. = 1

Zusammenfassend kann man davon ausgehen, daß der Parlamentarier die Bedeutung der Ministerialbürokratie mit der Zeit schätzen, um nicht zu sagen fürchten lernt, insoweit seine allgemeine Orientierung in diesem Bereich nicht durch Betriebsblindheit verloren geht. Er gewöhnt sich mehr und mehr an den stillen Wunsch, sein Einfluß möge gegenüber dem der Ministerialbürokratie zunehmen.

Kontrolle der Regierung

Dem Parlament stehen eine Reihe von Mitteln zur Kontrolle der Regierung

zur Verfügung. Es liegt nahe, daß die Neuparlamentarier in der Einschätzung der Bedeutung dieser Mittel nach ausreichender Bekanntschaft mit dem parlamentarischen Alltag weitgehend konvergieren. Unser Befund hierzu bestätigt diese Annahme:
Das Instrument der Kleinen und Großen Anfrage rangiert schon ex ante weit vor der Haushaltskontrolle und setzt sich dann von 18 auf 27 Meinungen noch weiter durch (Tabelle I/21). Die Haushaltskontrolle wird immer mehr zur Routine (Tabelle I/10).

Tabelle I/21 *Parlamentarische Kontrollinstrumente*

Frage: Was halten Sie für die wichtigsten Mittel der Kontrolle der Exekutive, die den Abgeordneten zur Verfügung stehen? (1. Nennung)

Antwort:
(1) Haushaltskontrolle
(2) Kleine und Große Anfrage
(3) Ausschußprüfungen
(4) Akteneinsicht
(5) Verbindung zu Presse/Öffentlichkeit
(6) Sonstiges

		1972 (1)	(2)	(3)	(4)	(5)	(6)	SU
1969	(1)	.	3	.	.	.	.	3
	(2)	3	13	.	.	.	2	18
	(2)	.	3	4	.	.	2	9
	(4)	.	.	.	.	.	1	1
	(5)	.	1	.	.	.	1	2
	(6)	.	7	2	.	.	4	13
	SU	3	27	6	0	0	10	46

Es könnte sein, daß Kleine und Große Anfragen wegen ihres zweifellos größeren Öffentlichkeitseffektes und wegen der Chance, durch sie aktuelle Probleme aufzugreifen, bevorzugt werden. Ob dieses Instrument tatsächlich eine wirkungsvolle Kontrolle ermöglicht, muß hier dahingestellt bleiben. Immerhin ist nicht auszuschließen, daß die tatsächliche Wirkung eines Kontrollinstrumentes allzu einseitig mit seiner Öffentlichkeitswirkung gleichgesetzt wird.

Ausbildung des Parlamentariers

Die Antworten auf die Frage, ob es bestimmte Ausbildungsgänge oder Berufserfahrungen gibt, die eine besonders gute Voraussetzung für die Tätigkeit als Bundestagsageordneter bieten, sind aus Tabelle I/22 ersichtlich. Zwar nimmt die Gruppe derjenigen, die diese Frage verneinen, gegenüber denjenigen, die sie bejahen, zu. Per saldo ist aber unter den Ja-Sagern eine leichte Konvergenz zugunsten akademischer Ausbildungsgänge und unter diesen wiederum eine kräftige Konvergenz zugunsten des Studiums der Rechtswissenschaften und der Volkswirtschaftslehre festzustellen. Der parlamentarische Alltag bestätigt und fördert mithin im Parlament die Vermu-

Tabelle I/22 *Die ideale Ausbildung des Parlamentariers*

Frage: Glauben Sie, daß es bestimmte Ausbildungsgänge oder Berufserfahrungen gibt, die eine besonders gute Voraussetzung für die Tätigkeit als Bundestagsabgeordneter bieten?

Antwort:
(1) Nein
(2) Ja (ohne spezielle Nennung)
(3) Ja, Studium (ohne spezielle Nennung)
(4) Ja, Studium der Rechte und Volkswirtschaftslehre
(5) Ja, Studium der Sozialwissenschaften
(6) Sonstiges

		1972 (1)	(2)	(3)	(4)	(5)	(6)	SU
1969	(1)	4	.	.	1	.	.	5
	(2)	.	.	.	3	.	.	3
	(3)	2	1	3	3	1	.	10
	(4)	2	.	.	7	1	1	11
	(5)	1	.	.	3	1	1	6
	(6)	.	.	3	.	1	.	4
	SU	9	1	6	17	4	2	39

tung, daß das Jurastudium und das Studium der Wirtschaftswissenschaften in besonderem Maße zur politischen Tätigkeit im Parlament befähigen. Daraus ist zu schließen, daß politische Probleme (auch) aus parlamentarischer Sicht vor allem aus rechtlicher und wirtschaftlicher Perspektive definiert und bearbeitet werden.

d) Zusammenfassung

Unseren Erwartungen entsprechend zeigte sich trotz härtester politischer Auseinandersetzungen zwischen Regierungsfraktionen und Opposition gerade im VI. Deutschen Bundestag über die gesamte Breite unserer Fragen hinweg eine leichte Konvergenz der Meinungen unter den befragten Neuparlamentariern. Wir glauben, hierin ein erstes Indiz für die gleichförmige Wirkung der Bedingungen zu erkennen, unter denen die meisten Parlamentarier arbeiten, kommunizieren, Informationen suchen und verarbeiten, sich durchsetzen oder sich anpassen müssen. Ferner kommen diese Bedingungen, die wir unter dem Begriff parlamentarischer Subkultur zusammenfassen, als Ursache für zwei weitere Phänomene in Betracht, die wir „allgemeine Verschiebung des Konformitätsbereichs" und hierbei im besonderen „Konvergenz der allgemeinen Orientierungen" genannt haben.
In auffälliger Weise konvergieren die Neuparlamentarier, nachdem sie dem Parlament eine Weile angehört haben, in dem Gefühl, unabhängig zu sein und keine Informationsprobleme zu haben; in dem Bedürfnis nach einer Parlamentsreform, die sich vermutlich mehr mit Geschäftsordnungsfragen und Problemen der Arbeitsorganisation zu befassen hätte („kleine Parlamentsreform"), und schließlich in dem Glauben, daß nicht Hierarchie und Hackordnung, sondern die freie Bündniswahl der Abgeordneten untereinander für die politische Richtung der Fraktionen ausschlaggebend seien. Diese Schlaglichter erhellen, wie die parlamentarische Subkultur den ursprünglichen Willen des Neuparlamentariers zu durchgreifenden Reformen im Parlament mäßigt, indem sie ihm das Gefühl der Funktionstüchtigkeit dieser Institution vermittelt. Damit erweist sich auch die parlamentarische Subkultur selbst als stabil und in ihrer Wirkung auf das politische Institutionengerüst als stabilisierend.
Die Befunde im Bereich der allgemeinen Orientierungen stützen die These, daß hier durch die Sozialisation der Neuparlamentarier eine Konvergenz stattfindet. Unserem Material ist zu entnehmen, daß die Rolle, die der Neuparlamentarier im Laufe seiner Eingewöhnung erlernt, nicht durch die produktive Entwicklung von Initiativen, sondern durch die Sorge um Schaffung und Wahrung von Massenloyalität; nicht durch das Bemühen um eigenständige Informationen und Informationsverarbeitung, sondern durch Resig-

nation gegenüber einer als machtvoll angesehenen Ministerialbürokratie; nicht durch das Selbstverständnis eines Regierungskontrolleurs mit Hilfe des Budgetbewilligungsrechtes, sondern mit Hilfe publikumswirksamer Kleiner und Großer Anfragen; nicht durch das Aufbrechen konventioneller Denkmuster (juristische und ökonomische Perspektive), sondern durch deren Bestätigung gekennzeichnet ist.

Die Kehrseite der Konvergenzthese enthält die Behauptung, daß sich die politische Polarisierung im parlamentarischen Bereich gerade auf solche Themen und Probleme konzentriert, die im außerparlamentarischen Bereich bereits kontrovers sind. Diese These kann durch das von uns vorgelegte Material nicht geprüft werden. Wir waren ja gerade darauf aus, den informellen Bereich parlamentarischer Subkultur zu analysieren und haben die Gegenstände unserer Fragen entsprechend ausgewählt. Die Kehrseitenthese erscheint uns allerdings weitgehend evident. Mit den Belegen zu der Konvergenzthese wird hingegen deutlich, daß die parlamentarische Subkultur wichtige allgemeine Orientierungen von Neuparlamentariern in eine bestimmte Richtung vereinheitlicht. Aus der Analyse dieser Richtung müssen wir den Schluß ziehen, daß die parlamentarische Subkultur den Willen zur produktiven Initiative weder entwickelt noch ihm freien Lauf läßt, ihn statt dessen dämpft. Eine bedeutende Stärkung erfährt das Selbstverständnis des Parlamentariers als eines Politikers, der sich vor allem um das Problem der Massenloyalität zu kümmern hat.

4. Die These vom zunehmenden Konservatismus

Wir wollen nunmehr versuchen, direkter als bei der Entwicklung der Konvergenzthese an die Frage heranzugehen, ob die parlamentarische Subkultur die Politik beeinflußt. Für diesen Zweck reicht eine formale Analyse der Veränderungen des Konformitätsbereiches und der *allgemeinen* Orientierungen nicht mehr aus. Hierzu bedarf es vielmehr eines Maßstabes, der uns ein direktes Urteil über die Veränderungen der Richtung *politischer* Orientierungen und über die Veränderung der „Militanz", mit der sie vertreten werden, ermöglicht.

Im Folgenden markieren wir zwei verschiedene Typengruppen von Parlamentariern, und zwar in Hinblick auf (a) das Gesellschaftsbild des Parlamentariers und auf (b) die sozialpsychologische Einstellung des Parlamentariers. Es sei gleich vorweggenommen, daß mit dem von uns verwendeten

Maßstab keinerlei theoretischer Anspruch verbunden ist. Es liegt uns fern, an dieser Stelle das zweifellos schwierige Problem der Begriffsbestimmungen von „konservativ" und „progressiv", von „loyal" und „distanziert" aufzugreifen. Wäre das unser Ziel gewesen, so hätten wir die Begriffsbestimmungen schon vor der Erhebung vornehmen müssen und hätten die Erhebung so angelegt, daß das Material für moderne Skalierungstechniken verwendbar geworden wäre. Die von uns verwendete Typisierung ist vergleichsweise „hausgemacht". Sie orientiert sich ex post an den Informationen, die die Erhebung geliefert hat, und sie steht deshalb zum Teil auf weniger starken Füßen als unsere übrigen Befunde.

Wenn wir uns dennoch entschlossen haben, unseren Auswertungsversuch an dieser Stelle darzulegen, so geschieht das nur deshalb, weil das Analyseergebnis auch sonst durch die Befunde gestützt wird, Zufälligkeiten also relativ unwahrscheinlich sind. Im übrigen werden die operationalen Definitionen offen dargelegt, damit sich der Leser selbst ein Urteil darüber bilden kann, ob er die von uns auf Grund der knappen Materiallage ausgewählten Kriterien der Zuordnung zu den Typen akzeptieren will oder nicht. Diese Art der Darstellung ist zwar etwas umständlicher, dafür wird der Inhalt jedoch im Einzelnen nachprüfbar.

a) Zum Gesellschaftsbild des Neuparlamentariers

Dem Urteil darüber, welchem Gesellschaftsbild ein Parlamentarier zuzuordnen ist, legen wir seine Antworten auf die beiden folgenden Fragen zugrunde:

— „Es wird ja oft darüber diskutiert, ob man heute noch von Klassenunterschieden in unserer Gesellschaft sprechen kann. Würden Sie sagen, daß es solche Unterschiede gibt?"

— „Finden Sie eigentlich, daß in unserem Land jeder, der sich genügend anstrengt, die Möglichkeit hat, die ihm angemessene Ausbildung zu bekommen?"

Durch Kreuzung der Antworten auf die beiden Fragen, hier in Skizze I/1 durch ihren jeweiligen Antwortcode repräsentiert, ergeben sich „Eigenschafträume" (Property Spaces), die zur Typenbildung zweckmäßigerweise zusammengefaßt werden.

Skizze I/1 *Typen von Gesellschaftsbildern*

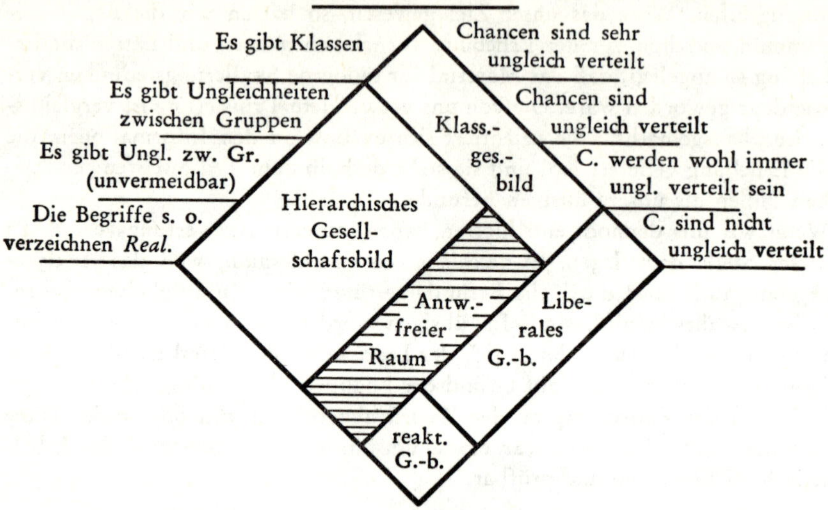

Bis auf 5 Abgeordnete, die wegen fehlender Antworten nicht in die Analyse mit einbezogen werden konnten, lassen sich alle Befragten anhand der dargelegten Kriterien bruchlos einem Gesellschaftsbild zuordnen. Dabei ergibt sich die folgende Verteilung:

Tabelle I/23 *Das Gesellschaftsbild des Neuparlamentariers*

	1969				1972			
	SPD	CDU CSU	FDP	SU	SPD	CDU CSU	FDP	SU
Klassengesellschaftsbild	17	5	1	23	15	2	1	18
Hierarchisches Gesellschaftsbild	3	8	2	13	5	6	2	13
Liberales Gesellschaftsbild	0	7	1	8	0	8	1	9
Reaktionäres Gesellschaftsbild	0	0	0	0	0	4	0	4
SU =	20	20	4	44	20	20	4	44

An der Verteilung ist deutlich zu erkennen, daß die SPD-Neuparlamentarier überwiegend dem Klassengesellschaftsbild zuneigen, während die CDU/CSU-Abgeordneten zu etwa gleichen Teilen Anhänger des hierarchischen und des liberalen Gesellschaftsbildes zu sein scheinen. Die FDP-Abgeordneten haben Vertreter in allen drei erstgenannten Typen. Insoweit überrascht der Befund kaum. Wir wollen jedoch dem Trend nachgehen, der sich zwischen der 1. und 2. Befragung abzeichnet. Dazu beobachten wir, in welche Richtung sich das Gesellschaftsbild der Abgeordneten ändert:

Skizze I/2 *Veränderungen des Gesellschaftsbildes*

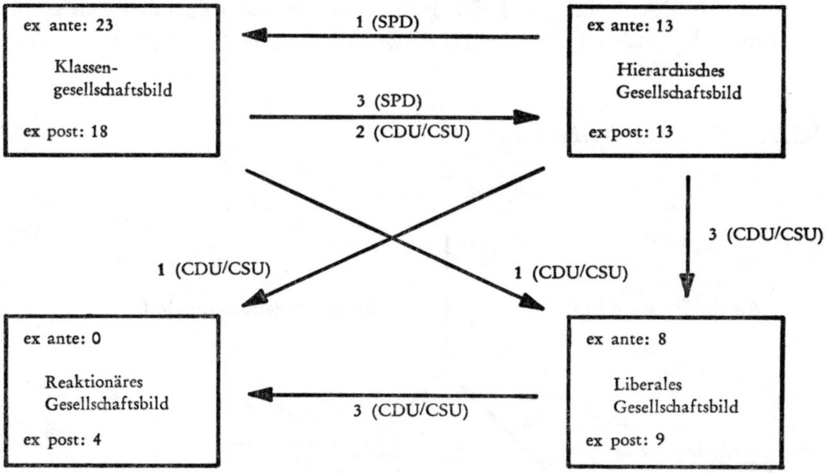

Wie zu erkennen, folgen 13 Abgeordnete einem Trend zu einem „konservativeren" Gesellschaftsbild, während nur 1 Abgeordneter seine Orientierung in entgegengesetzter Richtung ändert ($chi^2 = 10{,}3$; d. f. = 6).

b) Zur sozialpsychologischen Einstellung des Parlamentariers

Für die sozialpsychologische Typenbildung unterscheiden wir zwischen dem Kämpfer, dem Loyalen und dem Mitläufer. Dem Urteil darüber, welchem Typus ein Parlamentarier zuzuordnen ist, legen wir seine Antworten auf die beiden folgenden Fragen zugrunde:

— „Würden Sie sich an die Presse wenden, falls Sie es für notwendig halten, eine Initiative einzubringen, die von ihrer Fraktion nicht unterstützt wird?“
— „Wenn der Fraktionsvorstand Ihnen vorschlagen würde, in dem Petitionsausschuß zu gehen, was würden Sie davon halten?“

Während die erste Frage auf die Bündnisbereitschaft mit außerparlamentarischen Gruppen in solchen Fällen zielt, in denen der Parlamentarier Initiative ergreifen will, berührt die zweite Frage seine Verweigerungsbereitschaft in Fällen, in denen ihm von der Fraktion unattraktive Pflichten auferlegt werden sollen. Die beiden Indikatoren sind für einen Test der Bündnisbereitschaft und der Verweigerungsbereitschaft nicht allgemein genug. Es empfiehlt sich deshalb, bei der Interpretation der folgenden Darlegungen immer die beiden Testfragen im Auge zu behalten.

Skizze I/3 *Sozialpsychologische Typen*

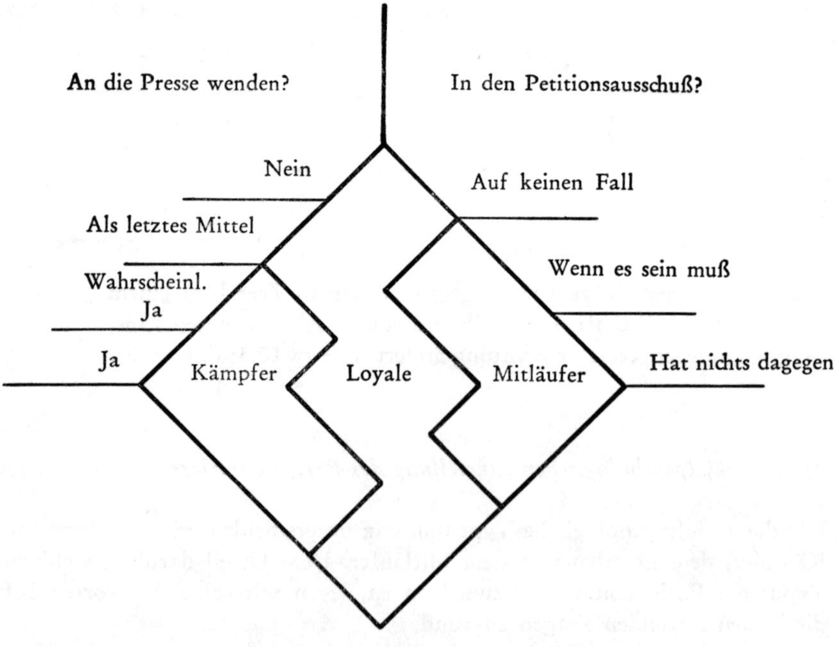

Wie schon bei der Konstruktion der Typen von Gesellschaftsbildern werden auch hier durch Kreuzung der Antworten auf die beiden Fragen Property-Spaces entwickelt (Skizze I/3).
Auf Grund der angegebenen Kriterien ergibt sich die folgende Verteilung sozialpsychologischer Typen von Neuparlamentariern:

Tabelle I/24 *Die sozialpsychologische Einstellung des Neuparlamentariers*

	1969				1972			
	SPD	CDU CSU	FDP	SU	SPD	CDU CSU	FDP	SU
Kämpfer	6	8	0	14	3	4	0	7
Loyale	6	6	0	12	7	9	0	16
Mitläufer	1	0	0	1	3	1	0	4
SU	13	14	0	27	13	14	0	27

Insgesamt konnten 27 Abgeordnete für beide Befragungen einem der drei Typen zugeordnet werden. Die relativ hohe Ausfallquote ergibt sich daraus, daß sich die einzelnen Ausfallquoten bei jeder Befragung und dazu bei jeder der beiden Variablen aufaddieren.
Es fällt auf, daß sich die Anzahl der Kämpfer halbiert, während die Anzahl der Loyalen und der Mitläufer zunimmt. Parteispezifische Unterschiede liegen nicht vor. Das Verhältnis der Abgeordneten, die sich in dem Polaritätenprofil in Richtung Mitläufer bewegen, zu jenen, die kämpferischer werden, ist 13 zu 5 ($chi^2 = 3,6$; d. f. = 4).
Man könnte nun vermuten, daß sich gerade die Neuparlamentarier mit einem vergleichsweise „konservativen“ Gesellschaftsbild eher loyal verhalten und daß unter denjenigen, die Klassenspaltung und Chancenungleichheit in der Gesellschaft zu erkennen glauben und hieraus Motivation für ihr politisches Handeln schöpfen, eher die ausgesprochenen Kämpfer zu finden sind. So gesehen würde zwar das Gesellschaftsbild des Neuparlamentariers in eine konservative Richtung tendieren, die tatsächliche politische Wirkung der Neuparlamentarier würde aber dennoch zugunsten der „Progressiven“ ausschlagen. Diese These können wir anhand der folgenden Tabelle prüfen (Tabelle I/25).
Aus statistischen Gründen dürfen bei dieser Tabelle nur diejenigen Abgeordneten berücksichtigt werden, die für *alle vier* Fragen, die der Tabelle zugrunde liegen, *in beiden* Befragungen eine gültige Antwort gegeben haben.

Tabelle I/25 *Gesellschaftsbild und sozialpsychologische Einstellung des Neuparlamentariers*

Gesellschaftsbild	sozialpsych. Typ	1969	1972
Klassengesellschaftsbild	Kämpfer	7	2
	Loyale	6	6
	Mitläufer	0	3
Hierarchisches Gesellschaftsbild	Kämpfer	3	1
	Loyale	4	5
	Mitläufer	1	1
Liberales Gesellschaftsbild	Kämpfer	2	3
	Loyale	1	2
	Mitläufer	0	0
Reaktionäres Gesellschaftsbild	Kämpfer	0	0
	Loyale	0	1
	Mitläufer	0	0
		24	24

Aus diesem Grund reduziert sich N auf 24 und erlaubt bei der vorgefundenen Verteilung kaum noch Schlußfolgerungen. Bemerkenswert ist dennoch der deutliche Verlust an Kämpfern und die Zunahme an Mitläufern in der Gruppe mit Klassengesellschaftsbild.

5. Fraktionsspezifische Variationen

Die bisher angeführten Befunde stützen — unseres Erachtens ausreichend und aus organisationssoziologischer Sicht auch gar nicht überraschend — die These, daß auch die Organisation Deutscher Bundestag ihren personellen Neuzugang einem Sozialisationsprozeß unterwirft. Darüber hinaus lassen die Befunde auch gesicherte Schlußfolgerungen über *Richtung* und *Konsequenzen* dieses Prozesses zu. Deutlich ablesbar ist eine Einebnung der allgemeinen Orientierungen, eine Verschiebung des Konformitätsbereiches und eine Verschiebung der Perzeption (Introversion). Deutlich ablesbar ist auch ein allgemeiner Trend zum Konservatismus bei gleichzeitiger abnehmender Kontrollmotivation und zunehmender Betriebsblindheit (Informationssättigung).

In diesem Abschnitt soll nun der Frage nach möglichen fraktionsspezifischen Variationen parlamentarischer Sozialisation nachgegangen werden. Das Problem der Sozialisationsmechanismen wird im nächsten Kapitel im Zusammenhang mit der Ursachenanalyse aufgegriffen.

Zur Ermittlung fraktionsspezifischer Unterschiede stützen wir uns auf Befunde, die wir durch eine „Cluster"-Analyse unserer Meinungsdaten gewonnen haben. Bei diesem Verfahren gruppiert der Computer Abgeordnete stufenweise, entsprechend der Häufigkeit ihrer Meinungsübereinstimmungen. Cluster 1 enthält diejenigen mit den häufigsten, Cluster 2 diejenigen mit den zweithäufigsten Übereinstimmungen usw. Das in diesem induktiven Analyseverfahren gewonnene erste überraschende Ergebnis ist, daß der erste Cluster der ersten Befragung ein reiner CDU/CSU-Cluster ist und der zweite (mit einer Ausnahme) ein reiner SPD-Cluster. Überraschend ist also, daß die vom Computer induktiv gewonnene erste Gruppe mit den meisten Meinungsähnlichkeiten nur aus CDU/CSU-Mitgliedern besteht, der Computer insofern eine scharfe Trennung zwischen den Parteien herstellt, ohne daß diese eingegeben worden wäre. SPD-Mitglieder finden sich erst in der Gruppe mit den zweithäufigsten Ähnlichkeiten. Das legt die Vermutung nahe, daß die in die CDU/CSU-Fraktion nachrückenden Parlamentarier eine homogenere Gruppe bilden als die Neuzugänge der SPD-Fraktion. (Die Parlamentsneulinge der FDP-Fraktion konnten wegen ihrer zu geringen Zahl nicht berücksichtigt werden.) Eine Bestätigung dieser Vermutung sehen wir darin, daß bei der zweiten Befragung die allgemeine Übereinstimmung hinsichtlich aller angesprochenen Fragen vor allem unter den CDU-Parlamentariern stagniert. Die Neuparlamentarier der CDU stimmen bei der ersten Befragung in 39,1 Prozent aller Fragen überein (CSU: 42,3 Prozent). In der zweiten Befragung steigt die Übereinstimmung unter den befragten CDU-Abgeordneten auf 43,6 Prozent erheblich an und überflügelt damit sogar die Übereinstimmung unter den CSU-Parlamentariern, die auf 41,8 Prozent leicht abfällt. Bei den SPD-Parlamentariern ist keine nennenswerte Veränderung zu verzeichnen (40 Prozent gegenüber 40,2 Prozent). Dieser Befund bedarf einer ausführlichen Interpretation.

Der dritte durch die Cluster-Analyse ermöglichte interessante Befund kann als Auflösung politisch klar profilierter Personen- und Meinungsgruppen beschrieben werden. Dieser Trend führt also von fraktionsspezifischen Differenzen wieder teilweise weg und verweist auf allgemeine organisationsspezifische Wirkungen.

CDU/CSU-Abgeordnete mit den meisten Ähnlichkeiten verteilen sich bei der Cluster-Bildung aus Meinungsdaten der Zweitbefragung auf Cluster 1 und Cluster 2. In Cluster 1 tauchen nun zwei SPD-Abgeordnete auf, ein weiterer in Cluster 2. Die Masse der SPD-Abgeordneten verteilt sich — entsprechend der relativ zur CDU/CSU geringer werdenden Homogenität — auf die Cluster 3 und 4.

In einem weiteren Schritt der Bearbeitung unseres Clustermaterials haben wir uns gefragt, ob über die quantitative Bestimmung hinaus (Anzahl der Meinungsübereinstimmungen) die vom Computer induktiv gewonnenen Gruppierungen auch bestimmte inhaltliche Übereinstimmungen aufweisen. Hierbei beschränken wir uns auf die ersten drei Cluster der ersten Befragung. Die übrigen drei enthielten so wenige Abgeordnete, daß uns die Ausdehnung dieses Verfahrens auf alle Cluster nicht mehr lohnend erschien. Eine Überprüfung der spezifischen Übereinstimmungen innerhalb eines jeden der ersten drei Cluster und daraufhin auch der spezifischen Differenzen zwischen den Clustern führte zu folgenden drei induktiv gewonnenen Meinungsbildern:

Mitglieder des ersten Clusters — ausschließlich CDU/CSU-Fraktionsangehörige (N = 9) lassen sich auf Grund ihrer inhaltlichen Übereinstimmung als „gemäßigt konservative Traditionalisten“ kennzeichnen. Sie

— halten das Programm ihrer Partei für eine hinreichende Grundlage ihrer politischen Arbeit und haben darum auch keine Ziele, die über dieses Programm hinausgehen;
— werden *gelegentlich* aktiv, wenn ihnen persönlich politische Mißstände zu Ohren kommen;
— konzentrieren sich vor allem auf Gebiete traditioneller Wirtschaftspolitik (Struktur, Verkehr, Raumordnung, Landwirtschaft);
— halten Klagen außerparlamentarischer Gruppen generell für unberechtigt;
— sehen im Einfluß der Verbände keine Gefahr für den Parlamentarismus;
— suchen Widersprüche zwischen ihren Auffassungen und denen der Fraktionsmehrheit durch Gespräche und Kompromisse zu bewältigen;
— halten die gegenwärtige Praxis der Haushaltskontrolle für ausreichend;
— halten das Ausmaß an Chancengleichheit in unserem Land für unzureichend.

Mitglieder des zweiten Clusters (N = 9) — mit einer Ausnahme SPD-Angehörige — lassen sich als „Initiativ- und kontrollfreudige Demokraten" kennzeichnen. Sie

- halten die im Programm ihrer Partei fixierten Ziele für unzureichend und haben selbst Ziele, die über dieses Programm hinausgehen;
- werden *grundsätzlich* aktiv, wenn ihnen Mißstände zu Ohren kommen;
- konzentrieren sich auf Sozial- und Gesundheitspolitik;
- halten Klagen außerparlamentarischer Gruppen für berechtigt;
- glauben, daß der Verbandseinfluß gefährlich ist für den Parlamentarismus und sind deshalb für eine generelle Offenlegung der Verbandsbeziehungen der Abgeordneten;
- wollen sich im Konfliktfall auch einmal aus der Fraktionsdisziplin lösen und glauben, daß sie einmal den Ruf eines unbequemen Abgeordneten haben könnten;
- halten die Praxis der gegenwärtigen parlamentarischen Haushaltsüberprüfung für unzureichend;
- sind mit der gegenwärtigen Fraktionsführung nicht einverstanden;
- halten die Möglichkeit parlamentarischer Kontrolle der Exekutive für erweiterungsbedürftig;
- glauben, daß die Chancen in unserer Gesellschaft in einem Maße ungleich verteilt sind, das es erlaubt, den marxistischen Terminus „Klassengesellschaft" zu verwenden.

Mitglieder des dritten Clusters — überwiegend SPD-Angehörige — (N = 5) lassen sich als „progressive Polittechniker" kennzeichnen. Sie

- sehen ein wesentliches Handicap parlamentarischer Arbeit im schwierigen Zugang zu politisch relevanten Informationen und in deren adäquater Auswertung;
- glauben, daß Öffentlichkeit der Ausschußsitzungen die parlamentarische Arbeit gefährde;
- halten die Klagen außerparlamentarischer Gruppen nur bedingt für zutreffend, da sie von der Leistungsfähigkeit bestehender Entscheidungsstrukturen grundsätzlich überzeugt sind;
- haben Möglichkeiten, sich auch außerhalb des Parlaments mit Informationen zu versorgen;
- halten viel vom Sachverstand der Bürokratie, glauben aber, daß der Abgeordneteneinfluß über die Ministerialbürokratie erhöht werden sollte;
- halten die Organisation der Plenardebatte für reformbedürftig;

— glauben, daß Weltanschauungen in der Parteipolitik eine wichtige Rolle spielen sollten;
— sehen im Berufsbeamtentum eine wichtige Ursache des gegenwärtigen Immobilismus;
— wollen auf jeden Fall länger als eine Wahlperiode im Bundestag bleiben;
— messen der Wahlkreisarbeit nur eine geringe Priorität zu und wollen Volksentscheid nur in Ausnahmefällen zulassen;
— halten politische Entscheidungen für Sachentscheidungen;
— glauben, daß ein sozialwissenschaftliches Studium die beste Voraussetzung für die Parlamentsarbeit sei.

Verfolgt man nun die Angehörigen dieser drei Cluster in die zweite Befragung, dann läßt sich eine Meinungsbewegung feststellen, die eine „Aufweichung" ehemals deutlicher Meinungsprofile erkennen läßt.
Bei ehemaligen Mitgliedern des ersten Clusters sind die klarsten Änderungen zu verzeichnen, sowohl hinsichtlich Richtung als auch Gewicht und Einheitlichkeit: Sechs von neun werden nun grundsätzlich aktiv bei Mißständen und nicht nur unter Umständen, zwei halten nunmehr die Klagen außerparlamentarischer Gruppen für berechtigt. Ganz deutlich ist der Trend, sich vom Konsens der Fraktion im Konfliktfall zu lösen: Zwei würden sich vom Fraktionszwang lösen, weitere zwei würden auch eine grundsätzliche Lösung von der Fraktion in Erwägung ziehen. Hier dürften auch zeitbedingte Faktoren eine Rolle spielen. Besonders eindrucksvoll ist hier die Einheitlichkeit von Meinungsänderungen. Wenn grundsätzliche Meinungsänderungen vorliegen, dann laufen sie in die gleiche Richtung.
Meinungsänderungen der ehemaligen Angehörigen von Cluster 2 sind verglichen mit Cluster 1 uneinheitlich und lassen sich kaum noch interpretieren. Vier ändern ihre kritische Einschätzung der Fraktionsführung. Interessant ist die veränderte Reaktion auf die Frage nach der Existenz von sozialen Klassen. Drei entziehen sich nun ihrer Beantwortung und zwei sind sogar nun der Auffassung, es gäbe zwar Ungleichheiten, diese ließen sich jedoch nicht mehr mit dem Klassenmodell beschreiben. Drei sind nun der Auffassung, die Kontrollmöglichkeiten der Exekutive reichten aus.
Alles in allem werden die Bewertungen vorsichtiger. Die gesellschaftliche Situation wird weniger kritisch und die parlamentarischen Wirkungsmöglichkeiten werden günstiger eingeschätzt.
Für ehemalige Angehörige von Cluster 3 gilt ähnliches wie für die von Cluster 2. Bedeutungsvoll ist, daß nun drei von fünf Abgeordneten dem Wahlkreis eine höhere Priorität einräumen. Zwei glauben, daß politische

Entscheidungen keine Sachentscheidungen seien, daß sie vielmehr eine eigene Qualität besäßen und/oder daß Sachwissen nur den politischen Führer beeinflußt, nicht aber die Substanz der Entscheidungen. Zwei rücken schließlich von ihrer Meinung ab, sozialwissenschaftliche Ausbildung sei die beste Voraussetzung für die Parlamentsarbeit.

Das eigentlich überraschende und deshalb interpretationsbedürftige Resultat der Cluster-Analyse ist das ermittelte Konsensdefizit zwischen den CDU/CSU- und SPD-Neuparlamentariern nach drei Jahren Arbeit in verschiedenen Abteilungen derselben Organisation. Die „Aufweichung" ehemals profilierter Meinungsbilder ist demgegenüber vor dem Hintergrund der übrigen Befunde wenig bemerkenswert. Immerhin ist der hier deutlich werdende Trend ein weiterer Stützpfeiler für die Konvergenzthese.

Für die ermittelte Konsensdifferenz bieten sich eine ganze Reihe von Interpretationsmöglichkeiten an, die sich in persönlichkeits-, fraktions- und situationsbedingte Sachverhalte zusammenfassen lassen. Erinnert werden muß hier zunächst noch einmal daran, daß die Neuparlamentarier der CDU/CSU-Fraktion schon — sei es durch entsprechende vorparlamentarische Sozialisation und/oder Rekrutierung — das Parlament als homogenere Gruppe betreten. Während bei ihnen dann noch ein bemerkenswerter Konsensschub stattfand, geschah bei SPD-Parlamentariern nichts dergleichen.

Argumente, die die beobachteten Konsensdifferenzen auf die Oppostionsrolle der CDU/CSU und auf die Regierungsfraktionsrolle der SPD zurückführen wollen, enthalten zwar auf den ersten Blick eine gewisse Plausibilität, übersehen aber, daß gerade in der Zeit zwischen 1969 und 1972 die Regierung sich nur auf eine außerordentlich knappe und dann immer noch (bis zu den vorgezogenen Neuwahlen) knapper werdende Mehrheit abstützen konnte. Die im Verlauf jener Jahre stattfindende parlamentarische Polarisierung über die Reformpolitik der Regierung Brandt/Scheel läßt den Konsensdruck auf beide Fraktionen als eher gleich stark erscheinen.

Der Konsensüberschuß der CDU/CSU-Fraktion könnte schon eher durch unterschiedliche Führungsstile innerhalb der Fraktionen und durch Unterschiede im Arbeitsklima bedingt sein. Wie der organisationssoziologischen Literatur entnommen werden kann, sind gerade diese beiden Variablen aber außerordentlich schwer meßbar. Wir haben auf diesbezügliche Messungen im Rahmen der vorliegenden Untersuchung deswegen und wegen der gegebenen zeitlichen und finanziellen Restriktionen verzichten müssen.

Immerhin können wir unserem Material einige indirekte Hinweise zugunsten der Arbeitsklimahypothese entnehmen. So etwa, wenn der Wunsch nach einer längerfristigen Politkarriere bei den SPD-Parlamentariern einen stärkeren Rückgang erfährt als bei den CDU/CSU-Parlamentariern (Tabelle

Tabelle I/26 *Politik als Beruf*

Frage: Wäre es möglich, daß Sie sich eines Tages ganz der Politik widmen?

Antwort: (1) Ja (will das oder ist schon geschehen)
(2) Nein, nicht ganz oder unentschlossen

	1969		1972		
	(1)	(2)	(1)	(2)	N
CDU/CSU (%)	62	38	52	48	21
SPD (%)	89	11	42	58	19
					40

Tabelle I/27 *Einstellungen zur Fraktionsspitze*

Frage: Wären Sie damit einverstanden, wenn die jetzige Fraktionsspitze Ihrer Partei durch die nächste Vorstandswahl bestätigt würde, oder sähen Sie gern neue Leute?

Antwort: (1) Einverstanden
(2) Unentschieden
(3) Nicht einverstanden

	1969			1972			
	(1)	(2)	(3)	(1)	(2)	(3)	N
CDU/CSU (%)	10	10	81	33	5	62	21
SPD (%)	18	18	65	18	12	71	17

I/26). So auch, wenn die Fraktionsspitze der SPD-Fraktion ex post ungünstiger bewertet wird als bei der CDU/CSU (Tabelle I/27).
In diesem Zusammenhang ist aber auch an die folgenden situationsspezifischen Einflüsse zu erinnern: In der Vorwahlzeit 1968 und 1969 hatten die außerparlamentarische Opposition und die Protestbewegung der Studenten ihren Höhepunkt in der Bundesrepublik erreicht. Dies könnte — zusammengenommen mit dem vergleichsweise stärker reformorientierten Meinungsbild der SPD-Neuparlamentarier — dazu geführt haben, daß das Anspruchsniveau an eine künftige Politik auf Seiten der SPD-Neuzugänge wesentlich höher war als bei der CDU/CSU. Dazu beigetragen haben könnte auch ein durch die lange Oppositionszeit und durch die Anbindung an die

CDU/CSU während der großen Koalition bedingter „Aktionsstau“ bei der SPD allgemein, insbesondere aber auch bei den im Vergleich zur CDU/CSU durchschnittlich jüngeren SPD-Neuparlamentariern (Tabelle I/28).

Tabelle I/28 *Alter der befragten Neuparlamentarier*

	Jahre				
	bis 30	30—35	36—40	ab 41	N
CDU/CSU (%)	4	29	54	14	24
SPD (%)	14	38	43	5	21
FDP (%)	0	0	50	50	4

Wir wollen an dieser Stelle keine weiteren Vermutungen über die möglichen Ursachen der parteispezifischen Befunde folgen lassen. Es erschien uns sinnvoller, die Ursachenanalyse vom Gesamtergebnis der parlamentarischen Sozialisation her zu beginnen und systematisch die sozialisationshemmenden und sozialisationsfördernden Faktoren auf ihre Einflüsse hin zu untersuchen.

II. Die parlamentarische Sozialisation

1. Was bedarf der Erklärung?

Das Ausmaß der zu erklärenden „Einstellungsänderungen" [1] läßt sich quantitativ aus der folgenden Tabelle ersehen:

Tabelle II/1 *Effekt und Anzahl der Einstellungsänderungen*

Effekt	Anzahl absolut	Anzahl relativ
Stabil (nicht geänderte Einstellungen)	1667	52
Indifferent (Einstellungsänderungen, die sich in jeder Variablen gegenseitig aufheben)	922	29
Gerichtet (Einstellungsänderungen,die bei den Variablen Variationen erzeugen)	605	19
Antworten pro Panel insgesamt	3194*	100

* Ausfälle, Verweigerungen: 579

1 In dem vorliegenden Kapitel ziehen wir den Terminus „Einstellungsänderungen" dem der „Meinungsänderungen" vor, obgleich wir nur Meinungen, oder genauer: nur Äußerungen zu Meinungen, Perzeptionen usw. messen. Unsere Anwendung des Einstellungsbegriffs folgt nicht den strengen Anforderungen der psychologischen Definitionen, sondern eher denen des amerikanischen Begriffs „Attitudes", der gerne als Oberbegriff für spezifische Formen des Verhaltens, der Perzeption (cognitive) und des Affektes verwendet wird. Vgl. u. a. *Donald D. Searing/Joel J. Schwartz/Alden E. Lind*, The Structuring Principle: Political Socialization and Belief Systems, in American Political Science Review, Vol. 67 (1973), S. 415—432.

Daß sich mit 29 Prozent knapp ein Drittel der bei beiden Befragungen geäußerten Meinungen als indifferent erweisen, erscheint auf den ersten Blick überraschend hoch. Doch ist hier folgendes zu berücksichtigen: Zum ersten hängt dieser Wert davon ab, in welchem Maße die für die Befragung ausgewählten Themen schon zu einer verfestigten Meinungsbildung des Neuparlamentariers geführt haben (Variable „Fragebogen"). Zum zweiten repräsentiert dieser Wert durchaus keine Meinungskonfusion unter den Befragten, sondern läßt vielmehr vermuten, daß die Meinungsbildung der Neuparlamentarier auch nach Eintritt in das Parlament noch in starkem Maße durch unterschiedliche individuelle Alltagserfahrungen beeinflußt wird (Variable „außerparlamentarische Alltagserfahrung"). Zum dritten wird die Fluktuation, d. h. der Anteil sich ändernder Meinungen in einer Variable, durch die Wahl des Codes beeinflußt und durch die Verwendung mißverständlicher Begriffe oder von Begriffen, die in den drei Jahren einen Bedeutungswandel erlebt haben, erhöht [2].

Es wäre theoretisch möglich, daß die Meinungsänderungen sich auf die Meinungsstruktur der Gesamtheit der befragten Parlamentarier überhaupt nicht auswirken. Das wäre der Fall, wenn jeder einzelnen Meinungsänderung, die bei einer Variablen zu beobachten ist, eine andere Meinungsänderung mit entgegengesetzter Richtung gegenüberstände. Es gibt u. E. keinen plausiblen Grund für die Annahme, daß sich die oben erwähnten drei „intervenierenden" Variablen nicht in dieser Weise auswirken. Insofern ist bei einer beobachteten Fluktuation der Meinungen zwischen den beiden Befragungen die Indifferenz der wahrscheinliche Fall und deshalb auch — von später zu behandelnden Einschränkungen abgesehen — die Nullhypothese von parlamentarischer Subkultur und Sozialisation. Ein Beispiel für diesen Fall finden wir in Tabelle II/2. Dort haben sich zwar viele Meinungen zwischen den beiden Befragungen geändert, d. h. die Fluktuation ist relativ hoch. Die Verteilung der aufaddierten Antworten zu den einzelnen Codes hat sich jedoch nicht (signifikant) geändert.

Von der Variablen in Tabelle II/2 könnte man auch sagen, daß sie keine (signifikante) Variation zeigt. Die Variation „V" (nicht zu verwechseln mit dem gleichnamigen Begriff aus der Statistik) verwenden wir als ein Maß dafür, wie stark sich das Meinungsbild in der betreffenden Variablen tatsächlich gewandelt hat. So gesehen ist die Summe der Variation aller Variablen ein wesentlich informativeres Maß für die Sozialisation, denn in ihr ist nicht jede Meinungsänderung berücksichtigt, sondern nur jener Netto-An-

2 *Hubert Blalock*, Methodology in Social Research, 1968, S. 472 ff.

teil von Meinungsänderungen, der zur Veränderung der Meinungsstruktur geführt hat. Die Variation beträgt bei unserer Untersuchung insgesamt 605 Meinungsänderungen. Sie ist der eigentliche Tatbestand, der im Zusammenhang mit der Untersuchung parlamentarischer Sozialisation einer eingehenden Erklärung bedarf.

Tabelle II/2 *Gemeinwohl oder Einzelinteressen*

Frage: Stimmen Sie der Ansicht zu, daß der Abgeordnete nur das Gemeinwohl im Auge haben sollte, oder sehen Sie seine Funktion eher in der Vertretung bestimmter Gruppeninteressen?

Antwort: (1) Nur Gemeinwohl
(2) Eher Gruppeninteressen

		1972 (1)	(2)	SU
1969	(1)	14	7	21
	(2)	5	18	23
	SU	19	25	44

$$\text{Fluktuation} = \frac{X_{((1)/(2))} + X_{((2)/(1))}}{N} = \frac{7 + 5}{44} = .27$$

$$\text{Variation} = \frac{X_{((1)/(2))} + X_{((2)/(1))}}{N} = \frac{7 - 5}{44} = .05$$

2. Mögliche Einflußfaktoren

Wir wissen jetzt, daß 49 Personen im Laufe von drei Jahren ihre Einstellungen zu verschiedenen Problemen geändert haben. Wir wissen, daß sich diese Personen während jener Zeit ausnahmslos in einer ähnlichen Situation befunden haben: Sie spielten zum ersten Mal in ihrem Leben die Rolle des Parlamentariers im Deutschen Bundestag. Können wir daraus so ohne wei-

teres schließen, daß gerade diese Rolle die Bedingungen gesetzt hat, unter denen die Einstellungsänderungen zustande gekommen sind?
Man wird für unwahrscheinlich halten müssen, daß eine größere Anzahl der befragten Parlamentarier auch sonst in ihrem sozialen Kontext zum Zeitpunkt ihrer Wahl eine einschneidende Veränderung erlebte, die nichts mit dem Mandat zu tun hat. Noch unwahrscheinlicher ist es, daß ein und dieselbe Veränderung, abgesehen von der der Mandatsübernahme, bei einer größeren Anzahl dieser Parlamentarier eingetreten ist. Beides hätte Veranlassung dazu geben können, die von uns festgestellten Einstellungsänderungen — insofern sie zur Variation beigetragen haben — auf andere als eben auf parlamentarische Ursachen zurückzuführen. Doch zu der Vermutung, eine andere aktive Rolle als die des Parlamentariers könnte die beobachteten Einstellungsänderungen verursacht haben, besteht auf den ersten Blick kein Anlaß.
Dennoch können wir nicht darüber hinwegsehen, daß prinzipiell auch andere Faktoren die zu beobachtende Variation mitverursacht haben. So ist zunächst nicht auszuschließen, daß sich die politisch zu lösenden Probleme

Tabelle II/3 *Restriktionen politischer Reformen*

Frage: Es gibt Reformvorschläge, wie zum Beispiel die Reinhaltung von Luft und Wasser, über die sich alle Parteien im Prinzip einig sind. Trotzdem passiert wenig. Wie erklären Sie sich das?

Antwort:
(1) Schwierigkeiten durch Interessengruppen
(2) Finanzielle/ökonomische Schwierigkeiten
(3) Rechtliche/organisatorische Schwierigkeiten
(4) Technische Schwierigkeiten
(5) Gerade auf diesem Gebiet wird eine Menge getan
(6) Sonstiges

	1969	1972
(1)	8	7
(2)	20	17
(3)	5	2
(3)	7	1
(5)	2	15
(6)	2	2
SU	44	44

durch politische oder andere Einflüsse während des Dreijahreszeitraumes, der zwischen den beiden Befragungen liegt, verändert haben. Das ist zum Beispiel ganz offensichtlich der Fall, wenn bei Tabelle II/3 auf die Frage
„Es gibt Reformvorschläge, wie zum Beispiel die Reinhaltung von Luft und Wasser, über die sich alle Parteien im Prinzip einig sind, trotzdem passiert wenig. Wie erklären Sie sich das?"
ex ante nur 2, ex post jedoch 15 Abgeordnete erwidern, gerade auf diesem Gebiet werde eine Menge getan. Aber es muß sich nicht einmal die technische oder die natürliche Umwelt verändert haben. Es kann sich auch das Bewußtsein der Bürger und also *auch* der Neuparlamentarier während der drei Jahre verändert haben mit der Folge, daß die derart erzeugten Einstellungsänderungen nicht auf parlamentarische Strukturen zurückgeführt werden können. Dieser Sachverhalt liegt zum Beispiel mit großer Wahrscheinlichkeit vor — man denke hier an die Kontroversen um die Ostpolitik — wenn ex ante nur einer der befragten Neuparlamentarier glaubt, Weltanschauung spiele wieder eine zunehmende Rolle, ex post jedoch 18 das glauben (Tabelle II/4).
Ferner kann nicht ausgeschlossen werden, daß sich auch die Landschaft innerhalb der politischen Institutionen im Laufe der drei Jahre verändert hat, und daß daraus Einstellungsänderungen folgen mußten. Das kann beispielsweise unterstellt werden, wenn auf die Frage: „Was kann die Fraktion gegen Abgeordnete tun, die sich öffentlich gegen die Fraktionsmeinung stellen?" ex ante 4, ex post 10 Abgeordnete mit „nichts" antworten. Darin spiegelt sich möglicherweise die Verknappung der Mehrheitsverhältnisse zwischen Regierungsfraktionen und Opposition während der drei Jahre (Tabelle II/5).

Der Wirkung *parlamentarischer* Sozialisation wollen wir folglich keine Einstellungsänderungen zuschreiben, die auf einer Veränderung des politischen Problemdrucks oder auf eine situationsspezifische Einflußkonstellation zurückzuführen sind. Diese Ursachen wurzeln nicht in der Institution Deutscher Bundestag, und es kann deshalb auch angenommen werden, daß ihre Wirkungen nicht auf den Kreis der Neuparlamentarier beschränkt bleiben. Die letzte Gewißheit darüber, welche Einstellungsänderungen auf die genannten „intervenierenden" Variablen zurückzuführen sind, hätte nur eine parallele Erhebung der Einstellungen von Altparlamentariern geben können. Auf sie mußte jedoch aus Zeitgründen bei der vorliegenden Untersuchung verzichtet werden. Ohne Zweifel bleiben die Einstellungsänderungen in einer Reihe von Variablen selbst dann noch erklärungsbedürftig, wenn der evidente Einfluß eines sich verändernden politischen Problemdrucks und einer situa-

Tabelle II/4 *Politik und Weltanschauung*

Frage: Es wird behauptet, daß die Parteipolitik heute nur von pragmatischen Gesichtspunkten bestimmt ist Würden Sie sagen, daß weltanschauliche Gesichtspunkte noch eine Rolle spielen?

Antwort:
(1) Weltanschauung spielt keine Rolle mehr
(2) Weltanschauung spielt eine immer geringere Rolle
(3) Weltanschauung spielt wieder eine zunehmende Rolle
(4) Weltanschauung spielt eine Rolle

		1972 (1)	(2)	(3)	(4)	SU
1969	(1)	2	1	0	1	4
	(2)	0	1	9	4	14
	(3)	0	0	1	0	1
	(4)	0	1	8	20	29
	SU	2	3	18	25	48

(1+2)/(3+4) = 1/14; chi² = 11,2; d. f. = 1

In Prozenten	1969	1972
(1+2)	38	10
(3+4)	63	90
SU	101	100

(Die Zahlen unter 1969 addieren sich durch Rundungsfehler zu mehr als 100 Prozent auf.)

tionsspezifischen Einflußkonstellation bereits berücksichtigt worden ist. Tabelle II/6 gibt bei variierendem Signifikanzniveau über die Anzahl der Variablen Aufschluß, deren Variation durch die beiden genannten extraparlamentarischen Faktoren dem Anschein nach nicht erklärt werden können.

Tabelle II/5 *Disziplinierung in der Fraktion*

Frage: Was kann die Fraktion gegen Abgeordnete tun, die sich öffentlich gegen die Fraktionsmeinung stellen?

Antwort: (1) Nichts
(2) Gespräche führen
(3) Druck ausüben

		1972 (1)	(2)	(3)	SU
1969	(1)	3	1	0	4
	(2)	3	8	5	16
	(3)	4	6	14	24
	SU	10	15	19	44

Tabelle II/6 *Anzahl der Variablen mit signifikanter Variation*

Signifikanzniveau	Variablen: absolut	relativ	davon sit.-spez.
99 Prozent	16	21	2
95 Prozent	27	35	2
90 Prozent	39	51	2
0 Prozent	77	100	4*

* Untere Schätzung; obere Schätzung = 9.

Nach dieser notwendigen Klarstellung können wir den Ansatzpunkt unserer Erklärungsversuche präzisieren: Auf der einen Seite haben wir es mit Variablen zu tun, die eine unterschiedlich hohe Fluktuation und Variation aufweisen. Auf der anderen Seite zeigt sich, daß die befragten Abgeordneten mit unterschiedlicher Häufigkeit ihre Einstellungen geändert haben. Beide Differentiale sind möglicherweise auf verschiedene Ursachen zurückzuführen, doch beide haben auch etwas gemeinsam: die Tatsache nämlich, daß ihre Existenz auf den Deutschen Bundestag zurückzuführen ist. In ihm haben die befragten Neuparlamentarier drei Jahre gearbeitet mit der Folge, daß sie am Ende dieser Phase ihre Einstellungen zu bestimmten Problemen geändert hatten — einige mehr, andere weniger.

Im Zentrum unserer Erklärungsversuche muß daher eine Erörterung der möglichen parlamentarischen Mittel zur Beeinflussung von Neuparlamentariern stehen. Das Sozialisationsmodell, dem die Erklärungsversuche folgen (Skizze II/1) enthält hierzu vier Hypothesen, deren Erklärungskraft sich in unterschiedlicher Weise auf die beiden Einflußgrößen Sanktion und Persuasion stützen: Kooperationsstruktur, Informationssystem, Entscheidungsregeln und Kommunikation.

Skizze II/I *Einflußfaktoren bei der Meinungsbildung von Neuparlamentariern*

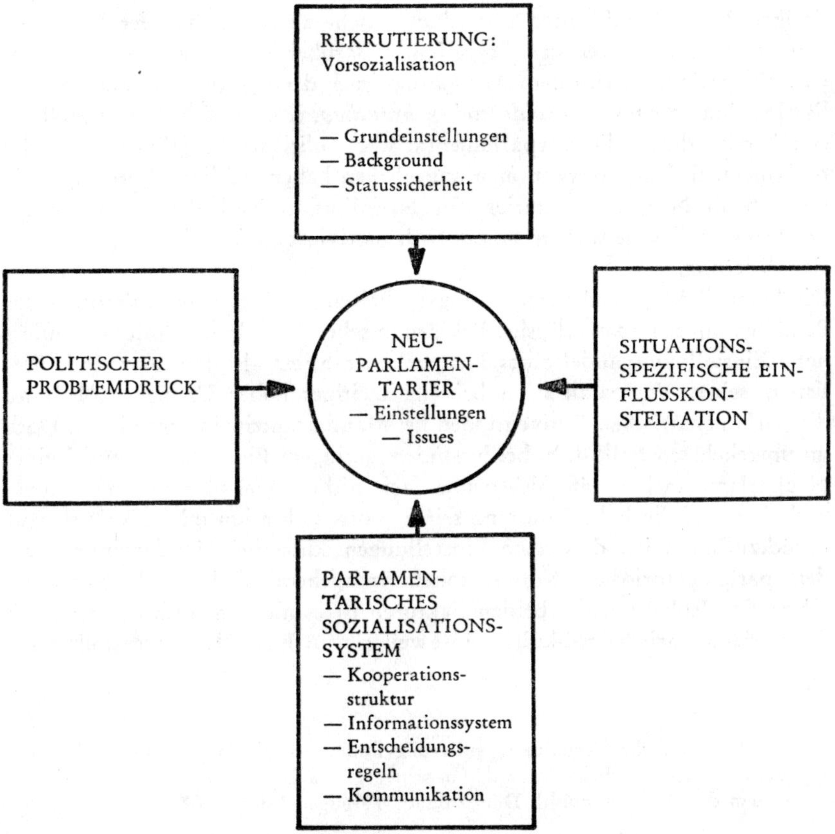

Für die Unterschiede in der Stärke des Einstellungswandels bei den betroffenen Neuparlamentariern kommen eine Reihe von Gründen in Frage. So ist es möglich, daß die Neuparlamentarier dem oben angesprochenen Sanktions- und Persuasionspotential der parlamentarischen Institution durch Zugehörigkeit zu verschiedenen innerparlamentarischen Gruppen oder Arbeitskreisen unterschiedlich stark ausgesetzt sind. Zumindest in Bezug auf die Fraktionen können hier deutliche Unterschiede bestehen, aber auch informelle Gruppen unter den Parlamentariern können einen wichtigen Einfluß auf seine Sozialisation ausüben. Wichtig erscheint uns vor allen Dingen auch die Vorsozialisation des Neuparlamentariers sowie seine Statussicherheit. So ist z. B. anzunehmen, daß Neuparlamentarier dem Anpassungsdruck der parlamentarischen Sozialisation umso *wirkungsvoller widerstehen können,* je stärker ihre Persönlichkeit durch die Vorsozialisation bereits gefestigt ist; je ökonomisch unabhängiger sie vom Mandat sind; je weniger sie ihre Rolle als Schlichter, statt dessen mehr als Vertreter oder Verfolger ganz bestimmter Interessen begreifen [3]. Darüber hinaus ist zu vermuten, daß Neuparlamentarier dem Anpassungsdruck der parlamentarischen Sozialisation desto *weniger zu widerstehen brauchen,* je mehr sich ihre Einstellungen bereits durch die vorparlamentarische politische Sozialisation an die parlamentarischen Konventionen angeglichen haben. Schließlich nehmen wir an, daß die Neuparlamentarier dem Sozialisationsdruck desto *weniger widerstehen wollen,* je stärker sie politisch motiviert sind im Sinne der Professionalisierung.
Die Doppelbödigkeit des Anpassungsverhaltens erschwert nun allerdings das Bemühen um seine zuverlässige Erklärung sehr. Zwar läßt sich der besonders hohe Einstellungswandel eines Neuparlamentariers als eine mangelnde Resistenz seiner Vorsozialisation bei gleichzeitiger hoher Unangepaßtheit an die parlamentarischen Konventionen bei Mandatsantritt interpretieren. Doch im umgekehrten Fall, d. h. bei besonders geringem Einstellungswandel eines Neuparlamentariers, läßt sich prima facie nicht sagen, ob sein Anpassungsverhalten auf die hohe Resistenz seiner Vorsozialisation oder ob sie darauf zurückzuführen ist, daß seine Einstellungen schon bei Mandatsantritt mit den parlamentarischen Konventionen weitgehend deckungsgleich waren. Ohne eine Isolierung der beiden Faktoren ist es nicht möglich zu sagen, ob die parlamentarische Subkultur, insoweit sie im Kapitel 1 dargestellt wor-

3 Die dichotomische Verhaltensregulierung findet sich als Hypothese in ähnlicher Weise verwendet bei *Gerhard Loewenberg,* Parlamentarismus im politischen System der Bundesrepublik Deutschland, Tübingen 1969, S. 67.

den ist, mehr in einer sanktionierenden und persuasiven Vermittlung bestimmter, von den Altparlamentariern oder vom Fraktionsestablishment gehüteter Konventionen besteht oder ob sie mehr das Resultat der psychologischen Implikationen eines informellen Rekrutierungsmusters ist [4].

Die erwähnte Schwierigkeit hindert uns jedoch nicht daran, über die globale, quantitative Analyse des Einflusses von Vorsozialisation und Statussicherheit auf die parlamentarische Sozialisation hinauszugehen und im Einzelfall den Zusammenhang zwischen diesen parlamentsexternen Faktoren und der Fluktuation/Variation zu untersuchen. Dabei geht es nicht mehr um die Frage, ob eine bestimmte Vorsozialisation — sagen wir die des Protestanten — geringere Resistenz (oder Voranpassung) gegenüber dem Sozialisationsdruck der Organisation schafft, sondern ob sich bestimmte protestantische Attitüden gegenüber dem Konvergenzdruck behaupten oder andere, zentrifugale Kräfte der parlamentarischen Sozialisation (z. B. die Fraktionen und informelle Gruppen wie „Leverkusener Kreis", „schwäbische Mafia", „Danziger Kreis") derartige spezifische Attitüden nach der Mandatsübernahme erst erzeugen. Die Überlagerung von zentrifugalen und zentripetalen Kräften der parlamentarischen Organisation läßt in dieser Beziehung ein buntes Bild von zunehmenden, beständigen und abnehmenden Einflüssen verschiedener Variablen der Vorsozialisation und der Statussicherheit erwarten [5].

Die Erklärungsversuche haben sich jeweils auf den Ausgangspunkt der parlamentarischen Sozialisation zu konzentrieren: auf die teils stabilen, teils sich ändernden Einstellungen. Es genügt unseres Erachtens nicht, die vorgefundenen signifikanten Einstellungsänderungen aus sich selbst heraus zu interpretieren. Es geht vielmehr um eine Erklärung der Tatsache, daß die parlamentarische Sozialisation eine Anpassung nur bestimmter Attitüden erforderlich macht, anderer dagegen nicht. Wir werden in den Erklärungsversuchen deshalb auch zwischen *zwei* abhängigen Variablen zu unterscheiden haben: der des Wechsels von Attitüden (behavioral, cognitive, affective) [6]

4 In der vorliegenden Untersuchung konnten die beiden Faktoren nicht isoliert werden, weil die hohe Anzahl der betroffenen Variablen den Sampleumfang für die erforderliche Regressionsanalyse zu klein erscheinen läßt. Das Sampling späterer Untersuchungen über organisatorische Sozialisation sollte unbedingt auch diesen Aspekt berücksichtigen.

5 Zur Verwendung des Modells von „zentrifugalen" und „zentripetalen" Kräften in der Analyse von Legislaturen siehe *Stephen K. Bailey*, Congress in the Seventies, New York 1970.

6 Zur entsprechenden Anwendung der Terminologie vgl. *Donald D. Searing u. a.*, The Structuring Principle, a. a. O.

und jener der wechselnden Issues. Es sei allerdings vorausgeschickt, daß die Daten nicht speziell für diese Analyse ausgewählt worden sind, so daß hier nur Hypothesen stehen können, nicht gesicherte Ergebnisse.
Diese Mängel der Daten sind es, die uns davon abhalten, die einzelnen Faktoren der parlamentarischen Sozialisation abschließend in einem kausalen Modell zusammenzufügen. Grundsätzlich vertreten wir aber die Auffassung, daß es bei neuen Untersuchungen zur Sozialisation in politischen Organisationen mit einem geeigneteren Sampling sowohl der zu befragenden Neuzugänger (und einer oder mehrer Kontrollgruppen) als auch der zu berücksichtigenden Variablen durchaus möglich werden könnte, den Einstellungswandel einigermaßen verläßlich vorauszusagen.

3. Das parlamentarische Sozialisationssystem

Die Umgangssprache unterscheidet zwischen Einstellungsänderungen als der Folge eines Klüger-Werdens und Einstellungsänderungen als der Folge einer bloßen Anpassung. Anpassung wird in der Regel mit negativer Wertung versehen, obwohl z. B. gerade der kluge Taktiker weiß, daß er sein Ziel durch partielle Anpassung womöglich leichter erreichen kann als durch demonstrative Standfestigkeit. Insofern kann eine Einstellungsänderung an und für sich weder als Zeichen für einen „pathologischen" noch als Zeichen für einen „kreativen" Lernprozeß genommen werden. Das gilt auch für jene Meinungsänderungen, die wir dem parlamentarischen Sozialisationssystem ursächlich zuordnen. Sozialisation bedeutet für unsere Analysezwecke — ganz ohne Wertung — Anpassung von Einstellungen aneinander oder an Einstellungen, die beim Eintritt in die Organisation als mehrheitlich vertretene vorgefunden werden. In diesem Sinne erfüllen die „gerichteten" Einstellungsänderungen (Variation) formal die Bedingungen des von uns verwendeten Sozialisationsbegriffs.
In der Psychologie wird ferner die Motivation unterschieden, die zu einem Lernvorgang führt. Danach gibt es eine intrinsische Motivation, die einem „frei" begründeten Erkenntnis- oder Handlungsinteresse folgt, und eine extrinsische Motivation, die durch äußere Sanktionen erzeugt wird. An anderer Stelle wird auch zwischen „intentionalem Handeln" und „stimu-

liertem Verhalten" unterschieden[7]. Im Sinne dieser Unterscheidung schließt unsere apriori-Hypothese von dem Zusammenhang zwischen gerichteten Einstellungsänderungen und parlamentarischem Sozialisationssystem die Möglichkeit eines intrinsisch motivierten Lernens bzw. Erlernens aus. Diese scheinbare Unzulänglichkeit des Erklärungsmodells ist auf die naheliegende Assoziation (Schulerfahrung) zurückzuführen, daß durch das Sozialisationssystem die Lernmotivation sanktioniert werde. Was für die kindliche Sozialisation zutrifft, muß jedoch nicht für die Erwachsenensozialisation zutreffen. Gerade bei gewählten Politikern kann unseres Erachtens kaum damit gerechnet werden, daß mit Hilfe motivationserzeugender Sanktionen Sozialisationsprozesse in Gang gesetzt werden können. Die formal egalitären Strukturen von Parlamenten zumindest lassen die Anwendung derartiger Methoden allenfalls sehr begrenzt zu.

Dennoch wäre es verfehlt, daraus auf die Unmöglichkeit eines parlamentarischen Sozialisationssystems zu schließen. Sozialisation betrifft ja nicht nur das *Erlernen* eines bestimmten Sachverhaltes, sie betrifft auch das Erlernen eines *bestimmten* Sachverhaltes. Während in der Kindheit die Motivation problematisch, der Sachverhalt jedoch unproblematisch erfahren wird, verhält es sich beim Politiker genau umgekehrt: Die Motivation kann durch ein stark ausgeprägtes Handlungsinteresse vorausgesetzt werden. Der Sachverhalt jedoch ist durch die Wahl der Perspektive und der Wertung höchst problematisch oder, wie wir einfach sagen wollen, variant[8]. In genau diesem Punkt kann parlamentarische Sozialisation ansetzen. Sie sorgt dafür, daß eine herrschende parlamentarische Subkultur mit all ihren *bestimmten* (= ausgewählten) Perspektiven und Wertungen von Sachverhalten und Regeln gegen störende Einflüsse abgesichert wird. Die Instrumente, derer sie bedarf, haben mit dem, was man aus der kindlichen Erziehung kennt, nur noch sehr wenig gemeinsam. Trotzdem erscheint uns auch die Existenz eines Sanktionssystems für die Fortdauer einer parlamentarischen Subkultur unentbehrlich.

7 Zu den hier erwähnten Unterscheidungen siehe *Jürgen Habermas,* Zur Logik der Sozialwissenschaften, Beiheft 5 zur Philosophischen Rundschau, Tübingen 1967 und dazu *H. J. Hummel,* Psychologische Ansätze zu einer Theorie des sozialen Verhaltens, in: Handbuch der empirischen Sozialforschung, hrg. v. René König, Stuttgart 1969, Bd. 2, S. 1157—1277, hier S. 1167.

8 *Kenneth P. Langton,* Political Socialization, New York 1969, S. 9 und *Ernest R. Hilgard,* Theories of Learning, New York 1960, sehen die „training procedures" als konstitutiv für die Lernsituation an.

Jedes Sanktionssystem ist von Anspruchsart und Anspruchsniveau der Sanktionierten her zu beurteilen. Für den Deutschen Bundestag bedeutet das generell: Die Leistungsfähigkeit seines Sanktionssystems bestimmt sich insbesondere aus dessen Möglichkeit, den Einfluß und die Reputation eines Abgeordneten zu beeinflussen. Unter diesem Gesichtspunkt gewinnen die Kooperationsstrukturen, die Struktur des Informationssystems und die Entscheidungsregeln innerhalb und zwischen den Gremien des Bundestages an Bedeutung.

— Durch die Kooperationsstruktur werden die Positionen der einzelnen Abgeordneten teamartig oder hierarchisch angeordnet. Eine hierarchische Anordnung der Positionen verleiht den „oberen" Positionsinhabern in der Regel höhere Reputation und höheren Einfluß als den „unteren" Positionsinhabern. Sanktionschancen entstehen damit durch die Verteilung der Positionen, und sie entstehen für diejenigen, die auf diese Verteilung den größten Einfluß ausüben [9].
— Durch die Struktur des Informationssystems wird der Zugang zu verschiedenen Informationen geregelt. So können sich z. B. informelle Zirkel von Parlamentariern bilden, die sich „gegenseitig auf dem Laufenden halten". Sanktionschancen ergeben sich aus diesen Strukturen, wenn nicht alle in gleicher Weise darüber bestimmen können, welche Informationen als relevant anzusehen sind, wem relevante Informationen zugehen dürfen und zu welchem Zeitpunkt das geschieht [10].
— Durch die Entscheidungsregeln sind das relative Gewicht von Minderheiten und Mehrheiten sowie von Geschäftsführungen, Vorständen usw., darüber hinaus aber auch die Verbindlichkeit von Beschlüssen festgelegt. So kann eine Minderheit in einer Fraktion z. B. einfach überstimmt werden, ihr Votum kann zu einer Vertagung führen, zur Einsetzung eines Arbeitskreises oder auch dazu, daß man einen „Deal" anstrebt, bei dem die einen jetzt, die anderen ein anderesmal nachzugeben haben. Die unterschiedliche Härte, die Minderheiten auf diese Weise je nach Belieben

9 *Nicholas Master*, Committee Assignments in the House of Representatives, in: R. E. Wolfinger (ed.), Readings on Congress, Englewood Cliffs 1971, S. 109 bis 131, hier S. 130.

10 Vgl. *Parlamentsreform*, Materialien Nr. 11, Juni 1969, der wissenschaftlichen Abteilung des Deutschen Bundestages, S. 5 (Johannes Agnoli).

der von ihnen (auch sonst) vertretenen Auffassung treffen kann, ist ein wichtiges Mittel der Disziplinierung [11].

Der Katalog der Sanktionsmöglichkeiten ist damit bei weitem nicht erschöpft, doch sind vermutlich die wichtigsten strukturellen Bedingungen in ihm erfaßt.

Sanktionen sind jedoch nicht die einzigen möglichen Ursachen von Einstellungsänderungen. Wie schon erwähnt, ist gerade in der formal egalitären Institution des Deutschen Bundestages mit einer offenen, aktiven Sanktionierung bestimmter Einstellungen nicht zu rechnen. Die Wirkung des Sozialisationssystems liegt vielmehr gerade in der Latenz und der Passivität seines Zwangscharakters: Es eignet sich nicht zum Vorschreiben, sondern zum Ausschluß bestimmter Einstellungen, und zwar dadurch, daß es ihre politische Erfolgswahrscheinlichkeit reduziert. Es ist nicht verboten, eine „verbotene" Einstellung zu erkennen zu geben, aber das kann in einer nicht nachprüfbaren Weise — insofern latent — den Aufstieg des Neuparlamentariers innerhalb der informellen Hierarchien verzögern, mindestens aber bleibt die Äußerung in der Regel wirkungslos.

Beide Sanktionen stehen jedoch nicht auf die Einstellung selbst, sondern auf ihre Äußerung. Das bedeutet, daß es prinzipiell dem nonkonformistischen Neuparlamentarier möglich sein müßte, sich durch Verschweigen seiner wahren Einstellungen oder durch Reden mit „gespaltener Zunge" einen unbehinderten Aufstieg zu sichern. Seine Devise müßte dann lauten: Im Verhalten Anpassen, weil es sichtbar und deshalb kontrollierbar ist, im Denken jedoch seinen ursprünglichen Zielen treu bleiben, und das heißt vor allem: mit ihnen „hinterm Berg halten". Die Alltagssprachlichkeit der hier beispielhaft zitierten Wendungen darf jedoch nicht darüber hinwegtäuschen, daß sie ursprünglich der Taktik in militärischen Auseinandersetzungen entnommen sind. Bei einer kurzfristigen Belastung mag es möglich sein, sich oder einer Tatsache einen anderen Anschein zu geben, auf lange Sicht dürfte das —

11 Hierzu unter anderem: *Richard F. Fenno,* The Internal Distribution of Influence: The House, in: R. E. Wolfinger (ed.), Readings ..., a. a. O., S. 199—224, hier S. 220 ff; *William H. Riker,* Voting Methods and Irrationality in Legislative Decisions, in: John C. Wahlke/Heinz Eulau (Hrg.), Legislative Behavior, Glencoe 1959, S. 97—108; *John Bibby/Roger Davidson,* On Capitol Hill. Studies in the Legislative Process, New York 1967, S. 197—218. Zahlreiche Beispiele finden sich bei *Dale Vinyard,* Congress, New York 1968, S. 92—96.

jedenfalls ohne besondere Vorbereitung — kaum gelingen [12]. Wie sollte es möglich sein, in der täglichen argumentativen Kommunikation die unerlaubte Begründung des Verhaltens nur zum Schein gegen eine erlaubte Begründung auszutauschen, und das auch noch gegenüber sogenannten politischen Freunden? Diese Zweifel sind es, die uns dazu bewegen, einen weiteren Sozialisationsfaktor einzuführen: Die Kommunikation.

— Das eigentlich Verfängliche ist die gerade für Parlamentarier als Politiker unausweichliche tägliche Kommunikation. Sie stellt die Wahrheit auf die Probe, indem sie die Inkonsistenz zwischen Verhalten und Denken unkomfortabel macht. Doch darin erschöpft sich ihre Funktion nicht. Sie bietet in wechselnden Gesprächen auch Rationalisierungsmuster an, durch die die verlorene Konsistenz auf Kosten der ursprünglichen Ziele wieder hergestellt werden kann. Insofern wirkt sie „persuasiv". Der Prozeß der *persuasiven Sozialisation* durch Kommunikation setzt sich in entsprechender Weise fort im Bereich der nicht unmittelbar verhaltensrelevanten Einstellungen, nur ist die zur Anpassung treibende Kraft der Inkonsistenz hier nicht das Resultat einer Spannung zwischen Verhalten und Ziel, sondern zwischen den Einstellungen des relativen Nonkonformisten und denen seiner Bezugsgruppe [13].

Das hier entwickelte Sozialisationsmodell setzt also dreierlei voraus: Ein System abgestufter Gratifikationen, Sanktionsgewalt und vor allen Dingen Kommunikation.

12 Als einer der interessantesten Fälle in dieser Hinsicht gilt der Fall des DDR-Spions Günter Guilleaume, der sich zu Spionagezwecken über 18 Jahre lang in der SPD „hochgedient" hat und schließlich als persönlicher Referent von Bundeskanzler Brandt seinen Dienst versah. Eine mögliche Erklärung für sein außergewöhnliches Verhalten wird darin gesehen, daß der Spion „eine zweite Loyalität" zu seinem neuen Dienstherren aufgebaut haben könnte, „die vielleicht längst stärker war als die erste — als die Bindung des Agenten an seine Auftraggeber". Nach dieser Interpretation wäre der Spion angesichts seiner unaufhaltsamen Enttarnung in seine frühere Loyalität zurückgezwungen worden. („Der Spiegel" Jg. 29 [1975], Nr. 40, S. 107—110). Abgesehen davon, daß diese Interpretation voraussetzt, daß der Spion zu Zeiten des zweiten, stärkeren Loyalitätsgefühls nicht tatsächlich spioniert hat, zeigt auch dieses Bemühen um eine Erklärung seines Verhaltens, daß eine widersprüchliche Doppelloyalität für unmöglich gehalten wird.

13 Vgl. hierzu *Richard G. Price/Harold D. Clarke/Robert M. Krause*, The Role Socialization of Freshman Legislators: The Case of Candadian M. P.'s, Paper presented to the Annual Meeting of the American Political Science Association, San Francisco, Sept. 5, 1975. Vgl. auch unsere Befunde auf S. 47 f.

Die Kommunikation übernimmt die Kontrollfunktion in jenen Einstellungsbereichen, die sich der unmittelbaren Kontrolle durch bloße Anschauung entziehen. Das sind in der Terminologie, der wir uns hier angeschlossen haben, die kognitiven und affektiven Attitüden. Infolge ihrer schwächeren Kontrollierbarkeit wird man bei ihnen Anpassungen eines Neuparlamentariers an die parlamentarische Subkultur nicht in dem gleichen Tempo und nicht mit der gleichen Zwangsläufigkeit erwarten wie bei dem Verhalten des Parlamentariers. Doch mit der Kontrollierbarkeit der Attitüden ist nur eine Seite des Sozialisationsdrucks angesprochen. Die andere Seite betrifft die unterschiedliche Notwendigkeit der Kontrolle. So kann man sich Einstellungsbereiche vorstellen, die durch die parlamentarische Subkultur innerhalb gewisser Grenzen zwar genormt sind, bei denen Abweichungen von der Norm aber nur zu geringen oder gar keinen Störungen führen und die deshalb auch nicht so scharf „überwacht" werden. Andere Einstellungsbereiche dagegen können für den Ablauf der parlamentarischen Kooperation von großer Bedeutung sein und werden deshalb auch stärker überwacht.
Aus den beiden Dimensionen läßt sich stilisierend die folgende Vier-Felder-Tafel zusammensetzen:

Skizze II/2 *Zeitpunkt der Anpassung von Attitüden an die parlamentarische Subkultur*

		Kontrollierbarkeit der Attitüden stark	schwach
Kontrollbedarf der politischen Organisation	schwach	gleichzeitig	nachgängig
	stark	vorgängig	gleichzeitig

Der Tafel entsprechend wäre also in Bereichen, die mit der parlamentarischen Subkultur nur in einem lockeren Zusammenhang stehen (z. B. Attitüden zur eigenen Person oder zum politischen System generell), mit *Verhaltensänderungen* schon recht bald nach Eintritt in die Organisation zu rechnen. *Kognitive* und *affektive Einstellungen* in denselben Bereichen brauchen sich dagegen wegen ihrer schwächeren Kontrollierbarkeit nicht zu ändern.

Wenn sich trotzdem auch hier ein Wandel vollzieht, so ist er vermutlich auf kognitive und affektive Dissonanzen gegenüber dem im gleichen Einstellungsbereich „erzwungenen“ Verhalten zurückzuführen und könnte folglich mit einer zeitlichen Verzögerung gegenüber den Verhaltensänderungen eintreten[14].
Bei hoher Kontrollnotwendigkeit der Attitüden ist hinsichtlich des Verhaltens eine vorgängige, d. h. sich praktisch mit dem Eintritt in die Organisation vollziehende Anpassung zu erwarten. Sie kann zweifelsfrei empirisch nur erfaßt werden, wenn die erste Befragung eines Panels *vor* Eintritt in die Organisation stattfindet. Entsprechend kann sie zweifelsfrei nur ausgeschlossen werden, wenn die erste Befragung eines Panels erst einige Monate *nach* Eintritt in die Organisation durchgeführt wird. (Beides war in der vorliegenden Untersuchung nicht der Fall.) Auch in diesem Bereich ist mit dem Entstehen kognitiver und affektiver Dissonanzen zu rechnen, die mit einiger Verzögerung zur nachfolgenden Anpassung auch der kognitiven und affektiven Einstellungen führen können.
Schwierigkeiten beim Test der anhand des Vier-Felderschemas (Skizze II/2) entwickelten Reihenfolge des Anpassungsprozesses von Organisationsneulingen ergeben sich vor allem durch die Notwendigkeit, die verschiedenen Einstellungsbereiche (Issues) gemäß ihrer Bedeutung für die Subkultur der betreffenden Organisation und damit in Hinblick auf die Kontrollnotwendigkeit analytisch einzustufen. Tabelle II/7 zeigt den Versuch einer Skalierung, die sich an den beiden Kontinua „abstrakt-konkret“ und „Selbstverständnis-Parlamentarismusverständnis-Arbeitssituation“ orientiert. Als Maßeinheit dient zum einen die Fluktuation in den betreffenden Variablen, zum anderen die Höhe der Variation. Beide Größen wurden jeweils durch die Anzahl der erwarteten Meinungsänderungen dividiert, um dadurch den Einfluß des Codes zu neutralisieren — ein gegenüber Skalierungen nur unzulängliches Verfahren.
Die Spaltensummen zeigen, daß die Fluktuation bei den verhaltensbezogenen Attitüden kaum anders ist als bei den kognitiven und affektiven Attitüden. Die Anpassung des Verhaltens ist insgesamt etwas geringer als bei den kognitiven und affektiven Attitüden. Bei den Zeilensummen ist ein leichter Anstieg der Fluktuation von „Selbstverständnis“ und „Parlamentarismusverständnis“ zur „Arbeitssituation“ festzustellen. In ersteren Bereichen herrscht also eine größere Sicherheit im Urteil der Neuparlamentarier. Einen entsprechenden, wenn auch weniger steilen Anstieg zeigt die Variation.

14 *Leon Festinger,* A Theory of Cognitive Dissonance. Stanford 1957.

Tabelle II/7 *Anpassung von Attitüden an die parlamentarische Subkultur*

F = Relative Fluktuation (mittlerer Wert = 1)
V = Relative Variation (Wert von 0 bis 1)

Die Werte in der Tabelle geben die Durchschnitte von F und V in den jeweiligen Variablen an.

	Attitüden						
	behavioral		cognitive		affective		Gewogener Zeilen-
Einstellungsbereiche	F	V	F	V	F	V	durchschnitt
Politische Persönlichkeit: Gesellschaftsbild; politische Ziele; Selbsteinschätzung; Autonomie; Motivation	.89		.76		—		.81
		.40		.32		—	.35
Parlamentarisches System: Verhältnis Regierung/Parlament; Parlamentarische Macht; Durchsetzungschancen; Restriktionen; Parlamentsreform	.97		.91		.88		.91
		.28		.34		.30	.32
Interne Struktur des Parlaments: Spezialisierung; Auslesekriterien Hierarchien; Stabilisierung	.75		1.05		.67		.94
		.10		.50		.17	.39
Arbeitssituation: Kommunikation; Arbeitssituation; Arbeitsökonomie	.96		.97		1.50		1.00
		.32		.41		.80	.40
Perzeption außerparlamentarischer Institutionen	—		1.01		.84		.93
		—		.50		.47	.49
Gewogener Spaltendurchschnitt	.89	.32	.93	.40	.89	.39	

Insgesamt gesehen bestehen keine wesentlichen Unterschiede hinsichtlich der Fluktuation und der Variation zwischen den verschiedenen Bereichen und Attitüden — mit einer Ausnahme: Das ist jener Bereich, der sich nicht in das von uns vorgeschlagene Kontinuum einfügen ließ und der deshalb getrennt aufgeführt ist. In ihm sind die Einstellungen zusammengefaßt, die der Neuparlamentarier gegenüber den verschiedenen Informationsquellen hat, die bereits im Kapitel I unter dem Stichwort „Konvergenz der allgemeinen Orientierungen" analysiert worden sind. Diese Einstellungen, zu denen Erhebungen nur im kognitiven und affektiven Bereich vorliegen, haben einen sehr starken Wandel erfahren. Wir nehmen das als ein Indiz dafür, daß unter allen kognitiven und affektiven Einstellungen, die sich der Parlamentarier leisten kann, diejenigen zu anderen politischen und gesellschaftlichen Institution im Rahmen der parlamentarischen Subkultur besonders stark normiert sind.

Die Werte in den einzelnen Feldern widersprechen dem oben entwickelten Modell nicht, statt dessen scheinen sie es bei geringfügigen Varianzen zu bestätigen. Man sollte daraus aber vorläufig noch keine weiteren Schlüsse ziehen. Ob das Schema einen guten Schlüssel für die Analyse der Sozialisation von Neuzugängern in Organisationen abgibt und in der Folge auch Rückschlüsse auf Kontrollnotwendigkeiten in verschiedenen Themenbereichen der betreffenden organisatorischen Subkultur zuläßt, werden erst nachfolgende Untersuchungen mit einem verfeinerten methodologischen Instrumentarium zeigen können.

Eine vollständige Analyse von Funktionsweise und Funktionstüchtigkeit des parlamentarischen Sozialisationssystems würde ferner eine möglichst exakte Beschreibung der oben skizzierten Strukturparameter des Sanktionssystems erfordern. Dann wären durch Befragung die Werthaltungen sowohl der „Hierarchen", „Gatekeeper" und „Mehrheiten" als auch die der „Neuparlamentarier" zu ermitteln. Die zu prüfende Hypothese würde schließlich lauten: Neuparlamentarier, die ihre Werthaltungen denen der anderen oben genannten Gruppen am weitgehendsten anpassen, werden durch gehobene Positionen mit Einfluß und Reputation, ceteris paribus, am ehesten belohnt. Diese Hypothese schließt nicht aus, daß es auch andere Karrierewege geben kann, sie zielt indessen auf den Regelfall [15].

Nun ist hier anzumerken, daß die Voraussetzung für eine derartige Kausal-

15 Vgl. zu den Ausnahmen u. a.: *Ralph K. Huitt*, The Outsider in the Senate: An Alternative Role, in: R. E. Wolfinger (ed.), Readings ..., a. a. O., S. 53 ff.

analyse eine von der Panelstudie unabhängige Erhebung von Daten über die interne Struktur der Organisation und über die Einstellungen der etablierten Gruppen wäre. Auf all das mußte aus Kosten- und Zeitgründen in unserer Untersuchung verzichtet werden. Wir haben uns deshalb an dieser Stelle mit einer indirekten Erschließung von Sozialisationsdeterminanten und -strategien über die vorhandenen Meinungsdaten zu begnügen. Die Voraussetzungen hierzu bestehen vor allem deshalb, weil wir die Existenz diskriminierender Kooperationsstrukturen, Informationssysteme und Entscheidungsregeln durch vorangegangene empirische Untersuchungen und durch die zahlreichen Äußerungen von Parlamentariern in verschiedenen Legislaturperioden voraussetzen dürfen [16].

In der Literatur ist davon die Rede, daß etwa die Hälfte aller Personen öffentliche Ämter nur für eine einzige Legislaturperiode bekleiden — nicht für länger [17]. Imperfekte Sozialisation, Leistungsdruck und mangelhaftes Standvermögen führen zu häufigem Abbruch politischer Karrieren. Für die politische Karriere eines Parlaments-Neulings entscheidend wäre demnach weniger, daß er Mitglied des Deutschen Bundestages ist, als vielmehr, was mit ihm innerhalb des Bundestages geschieht. Dies wiederum dürfte in hohem Maße davon abhängen, wie weit es ihm gelingt, *innerhalb* dieser Organisation an Einfluß zu gewinnen. Konzentration der Aktivitäten im parlamentarischen Umfeld und Wirkungskraft parlamentarischer Sozialisation müßten so gesehen in einem engen Zusammenhang stehen. Diese Annahme wird durch unsere Befunde gestützt.

Danach befragt, ob eine Hausmacht innerhalb oder eine Hausmacht außerhalb des Parlaments eine größere politische Wirkung verspreche, antworten von Anfang an mehr als doppelt so viele Abgeordnete zugunsten der größeren Wirkung einer Hausmacht innerhalb des Parlaments (Tabelle II/8). Diese Einschätzung wird durch die zweite Befragung eindrucksvoll bestätigt: Bei ihr hat sich die Meinungsstruktur mittlerweile zu dem Verhältnis von 16 : 2 geändert. Während anfangs noch 10 Abgeordnete eine Hausmacht in beiden Bereichen für gleich wirkungsvoll gehalten haben, teilen nun nur noch 8 Abgeordnete diese Auffassung. Der Befund deutet auf die erhebliche Relevanz parlamentarischer Gruppierungen.

16 Unter anderem *G. Loewenberg*, Parlamentarismus ..., a. a. O. *H. Schatz*, Der parlamentarische Entscheidungsprozeß. Bedingungen der verteidigungspolitischen Willensbildung im Deutschen Bundestag, Meisenheim am Glan 1970.

17 *D. Marvick*, Political Recruitment and Careers, in: International Encyclopedia of Social Sciences, 1968.

Ein weiterer Hinweis auf Normen und Regeln der parlamentarischen Kooperation läßt sich ansatzweise dem folgenden Befund entnehmen: Befragt nach den Kriterien, die nach Meinung der Abgeordneten dafür ausschlaggebend sind, daß jemand in den Fraktionsvorstand gewählt wird, verzeichnen Arbeitsmotivation, Kompetenz und Zugehörigkeit zu parlamentarischen Gruppen eine Zunahme. Es nehmen ab: kommunikative Fähigkeiten sowie Gruppen- und Regionalproporz (Tabelle II/9). Man könnte diesen Trend als eine abnehmende Relevanz parlamentsextern *zugeschriebener* zugunsten parlamentsintern *erworbener* Einflußfaktoren deuten.

Tabelle II/8 *Bedeutung von Hausmacht*

Frage: Ist es wirkungsvoller, sich auf eine Hausmacht außerhalb des Parlaments zu stützen, oder ist es wirkungsvoller, sie innerhalb des Parlaments zu suchen?

Antwort:
(1) Wirkungsvoller innerhalb des Parlaments
(2) Wirkungsvoller außerhalb des Parlaments
(3) Beides notwendig

		1972 (1)	(2)	(3)	SU
1969	(1)	8	0	3	11
	(2)	3	0	2	5
	(3)	5	2	3	10
	SU	16	2	8	26

Zu-/Abgänge (1) = 8/3; $chi^2 = 2{,}3$; d. f. = 1

Tabelle II/9 *Kriterien für die Wahlen zum Fraktionsvorstand*

Frage: Was ist Ihrer Auffassung nach ausschlaggebend dafür, daß ein Abgeordneter in den Fraktionsvorstand gewählt wird?

Antwort:
(1) Sachverstand
(2) Persönliche Führungs- und Kontaktfähigkeiten
(3) Redetalent
(4) Fleiß und Engagement
(5) Beziehungen
(6) Wohlverhalten
(7) Zugehörigkeit zu Landsmannschaften oder gesellschaftlichen Gruppen
(8) Zugehörigkeit zu parlamentarischen Gruppierungen

		1972 (1)	(2)	(3)	(4)	(5)	(6)	(7)	(8)	SU
1969	(1)	3	1	.	2	.	1	.	1	8
	(2)	1	4	.	1	1	.	.	4	11
	(3)	1	.	.	.	.	.	.	.	1
	(4)	.	.	.	.	1	.	1	.	2
	(5)	1	.	.	1	.	1	.	.	3
	(6)	.	.	.	1	1	.	.	1	3
	(7)	3	1	.	.	.	.	1	2	7
	(8)	1	.	.	1	.	1	1	1	5
	SU	10	6	0	6	3	3	3	9	40

Die Interpretation der folgenden beiden Befunde in bezug auf Sozialisationsdeterminanten gestalten sich vergleichsweise schwieriger. Die Existenz einer organisationsinternen Hierarchie ist Voraussetzung für den Einsatz formeller oder informeller Sanktionsmittel durch eine Organisationsspitze, beispielsweise durch Übergehen oder Beförderung bestimmter Personen oder Vergabe oder Entzug sonstiger Privilegien. Befragt nach einer informellen dreistufigen Rangskala von Parlamentariern überwiegen anfangs die zustimmenden Antworten (Tabelle II/10). Bei der Zweitbefragung wird die Gruppe der Zustimmenden geradezu dezimiert (von 18 auf 9 Abgeordnete), gleichzeitig wird die Skala überwiegend zurückgewiesen. Ein ähnlicher abnehmender Glaube an das Bestehen einer Hierarchie zeichnet sich auch bei den Antworten zur Frage nach dem Prestige der verschieden Bundestagsausschüsse ab. 1969 sind 93 Prozent der Meinung, es gäbe eine feine Prestigeabstufung, eine „ungeschriebene Hierarchie" dieser Ausschüsse. 1972 stimmen dem zwar immer noch die Mehrheit, aber doch weit weniger Abgeordnete als 1969 zu, nämlich nur noch 67 Prozent (Tabelle II/11).

Tabelle II/10 *Über die Existenz von Abgeordnetenklassen*

Frage: Der Abgeordnete Hans Apel sprach einmal davon, es gäbe drei Klassen von Abgeordneten im Bundestag: An der Spitze die schmale Schicht derer, die ein Parlaments- oder Fraktionsamt innehaben, an zweiter Stelle die Abgeordneten, die in Verbänden tätig sind, und an dritter Stelle das Gros, das auf sich selbst angewiesen ist: die „Neger", wie ein Mitglied des Bundestages einmal drastisch sagte. Finden Sie, daß diese Einteilung stimmt?

Antwort: (1) Ja
(2) Nein
(3) Unangemessene Einteilung

		1972 (1)	(2)	(3)	SU
1969	(1)	7	4	7	18
	(2)	1	5	2	8
	(3)	1	3	3	7
	SU	9	12	12	33

Zu-/Abgänge (1) = 2/11; chi^2 = 6,2; d. f. = 1

Für beide Befunde bieten sich folgende Interpretationen an: Entweder spiegeln sie eine tatsächliche Enthierarchisierung der Organisation wider — eine Auffassung, die durch keinerlei Beobachtung gestützt werden kann. Oder die Neuparlamentarier nähern sich nach einer anfänglichen Überschätzung der Hierarchie nunmehr einer realistischeren Einschätzung. Dieser an und für sich plausiblen Erklärung kann man schwerlich folgen, weil auch die realistischste Einschätzung nicht die vielfach belegte Existenz derartiger Hierarchien leugnen kann. Schließlich kann in den Befunden die Zunahme

Tabelle II/11 *Hierarchie der Ausschüsse*

Frage: Der Außenstehende gewinnt oft den Eindruck, als gäbe es eine feingestufte Wertskala der verschiedenen Bundestagsausschüsse. Wie sehen Sie das? Gibt es eine ungeschriebene Hierarchie?

Antwort: (1) Ja
(2) Nein

		Prozente			
		1969		1972	
	N	(1)	(2)	(1)	(2)
CDU/CSU	24	96	4	74	26
SPD	18	89	11	56	44
Zusammen	42	93	7	67	33

$chi^2 = 0{,}75$ $chi^2 = 1{,}75$
$Psi_1 = .14$ $Psi_2 = .20$
d.f. = 2 d.f. = 2

Zu-/Abgänge (1) und (2)

		1972	
		(1)	(2)
1969	(1)	29	12
	(2)	1	2

$chi^2 = 9{,}3$; $Psi_3 = .33$; d. f. = 1

einer gewissen, möglicherweise identitätserhaltenden Abneigung zum Ausdruck kommen, sich über eine Hierarchie zu äußern, ja sie sogar einem Außenstehenden gegenüber offiziell zur Kenntnis zu geben, wo sich mit ihr doch ein bestimmter Leidensdruck verbindet [18]. Die Multivalenz des Befundes läßt vorerst eine klare Zuwendung zur letzten Interpretation ebenfalls nicht zu. Wir wollen deshalb unter fraktionsspezifischen Sozialisationsfaktoren nach weiteren Indizien suchen.

18 Zu weiteren möglichen Erklärungen vgl. *Allan Kornberg*, The Rules of the Game in the Canadian House of Commons, in: Herbert Hirsch/M. D. Hancock (eds.), Comparative Legislative Systems, New York 1971, S. 261—278, hier S. 267 und 269.

Zunächst gilt es hier allerdings Befunde anzuführen, die eher gegen als für die sozialisierende Kraft einer Fraktion sprechen. Auf die Frage, was eine Fraktion mit Abgeordneten tun kann, die sich öffentlich gegen die Fraktionsmeinung stellen, findet zwischen 1969 und 1972 eine nicht unbeträchtliche Meinungsverschiebung von „Gespräche führen" und „Druck ausüben" zu „nichts" statt (Tabelle II/5). Weiter oben (vgl. S. 88) haben wir aber schon vermutet, daß hier — wie sonst kaum bei einer anderen Frage — ganz bestimmte, in dieser Häufung wohl bisher einmalige parlamentarische Ereignisse das Bild verzerrt haben.
Für einen dennoch ungebrochenen Einfluß der Fraktionsspitze sprechen dagegen die folgenden Befunde. Danach befragt, ob sie der Auffassung seien, daß man auch als unbequemer Abgeordneter Karriere machen kann, antworteten 1969 insgesamt 30 Abgeordnete mit „ja". Nur 9 Abgeordnete glauben das nicht. Ex post sind nur noch 23 Abgeordnete davon überzeugt, während mittlerweile 16 Abgeordnete der Meinung sind, man könne als unbequemer Abgeordneter keine Karriere machen (Tabelle II/12).

Tabelle II/12 *Aufstiegschancen des unbequemen Abgeordneten*

Frage: Glauben Sie, daß man auch als unbequemer Abgeordneter in Bonn Karriere machen kann?

Antwort: (1) Ja
(2) Nein

		1972 (1)	(2)	SU
1969	(1)	19	11	30
	(2)	4	5	9
	SU	23	16	39

(1)/(2) = 4/11; chi^2 = 3,26; d. f. = 1

Für den Einfluß der Fraktionsspitze sprechen schließlich die Meinungsänderungen auf die Frage danach, was der Abgeordnete davon halten würde, wenn der Fraktionsvorstand ihn für den Petitionsausschuß — den sicherlich unbedeutendsten der Bonner Parlamentsausschüsse — vorschlagen würde (Tabelle II/13). Die der Tabelle zu entnehmenden beträchtlichen Meinungsverschiebungen von „auf keinen Fall“ zu „habe nichts dagegen“ spiegeln unseres Erachtens in ganz besonderer Weise die gestiegene Nachgiebigkeit und/oder die sinkende Widerstandskraft des einzelnen Abgeordneten gegenüber der Fraktionsführung wider [19].

Tabelle II/13 *Widerstand gegen Mitgliedschaft im Petitonsausschuß*

Frage: Wenn der Fraktionsvorstand Ihnen vorschlagen würde, in den Petitionsausschuß zu gehen, was würden Sie davon halten?

Antwort: (1) Auf keinen Fall
(2) Wenn es sein muß
(3) Hat nichts dagegen

		1972 (1)	(2)	(3)	SU
1969	(1)	4	6	6	16
	(2)	3	5	6	14
	(3)	0	1	6	7
	SU	7	12	18	37

Zu-/Abgänge bei (1) = 3/12; chi^2 = 5,4 d. f. = 1
Zu-/Abgänge bei (3) = 12/1; chi^2 = 9,3; d. f. = 1

Wenn der „hierarchische“ Anpassungsdruck ein wichtiger Sozialisationsfaktor ist, so müßten gerade diejenigen Abgeordneten, denen die Verinnerlichung der internen Hierarchien und der vorherrschenden Einstellungen am besten, d. h. bis zur unbewußten Routine gelingt, (a) auch sonst überdurchschnittlich häufig ihre Meinungen, und zwar (b) in die Richtung ändern, die

19 Die Tatsache, daß sich auch der Fraktionsführer der Sozialdemokraten, Herbert Wehner, während der VI. Legislaturperiode als Mitglied des Petitionsausschusses betätigt hat, läßt eher Rückschlüsse auf dessen Führungsqualitäten und Parlamentarismusverständnis zu als auf die relative Bedeutung des Petitionsausschusses.

durch die in Kapitel 1 entwickelten Thesen vorgezeichnet ist [20]. Die folgenden Befunde zeigen, daß das für die erste Hypothese voll und die zweite Hypothese teilweise zuzutreffen scheint:

— 11 Abgeordnete, die 1969 noch der These zustimmten, daß es drei hierarchisch geordnete Gruppen von Parlamentariern gebe, stimmen dieser These 1972 nicht mehr zu (Tabelle II/10). Diese Abgeordneten änderten ihre Meinungen in bezug auf die Gesamtheit der Variablen durchschnittlich um 49,5 Prozent. Ihre Fluktuation liegt damit um 2,2 Prozent über dem allgemeinen Durchschnitt von 47,3 Prozent.
— 12 Abgeordnete, die 1969 noch der Meinung gewesen waren, es gebe eine feingestufte Hierarchie der Bundestagsausschüsse, streiten das 1972 ab (Tabelle II/11). Diese Abgeordneten änderten ihre Meinungen in bezug auf die Gesamtheit der Variablen durchschnittlich um 52,0 Prozent. Ihre Fluktuation liegt damit um 4,7 Prozent über dem allgemeinen Durchschnitt.
— 6 Abgeordnete, die 1969 auf keinen Fall in den Petitionsausschuß gehen wollten, hatten 1972 nichts mehr dagegen (Tabelle II/13). Diese Abgeordneten änderten ihre Meinungen in bezug auf die Gesamtheit der Variablen durchschnittlich um 48,2 Prozent. Sie liegen damit um 0,9 Prozent über dem allgemeinen Durchschnitt der Fluktuation.

Dieser Befund bestärkt uns in der Annahme, daß innerorganisatorische Hierarchien wichtige Motoren der Sozialisation sind. Wir wollen deshalb prüfen, ob auf dem Umweg über die Internalisierung von Hierarchien möglicherweise ein Teil jener Variation erklärt werden kann, die wir der parlamentarischen Subkultur zuschreiben, d. h. der Introversion, der Betriebsblindheit, der Konvergenz der allgemeinen Orientierungen und dem zunehmenden Konservatismus. Leider stoßen wir dabei an die engen Grenzen unseres Samples, das nur in seltenen Fällen Korrelationswerte mit einem Signifikanzniveau zuläßt, das dem üblichen Standard entspricht. Aus diesem Grund können wir in diesem Teil der Untersuchung nicht mehr von Belegen, sondern nur noch von einem mehr oder weniger naheliegenden Verdacht sprechen, der durch weitere Erhebungen erhärtet oder entkräftet werden müßte.

20 Zu ähnlichen Schlüssen gelangt *Heribert Schatz*, Der parlamentarische Entscheidungsprozeß, a. a. O., S. 70 f, S. 91 u. 129.

Eine leichte positive Korrelation mit der Verinnerlichung der Hierarchie ergibt sich bei den Aggregaten „Betriebsblindheit", „Introversion" und bei dem Verlust „kämpferischer" Attitüden (sozialpsychologische Einstellung). Keine Korrelation ergibt sich mit den beiden Aggregaten „Konvergenz" und „Gesellschaftsbild".

Wenn jemand die Hierarchie verinnerlicht und sie so aus dem Bewußtsein verdrängt, so wird er in Bezug auf die Hierarchie betriebsblind. Der Terminus Betriebsblindheit beinhaltet allerdings eine Kausalhypothese — blind aus Betriebsamkeit — die in diesem Zusammenhang nicht ohne weiteres übernommen werden kann. Vielmehr stehen sich zwei Erklärungen gegenüber, die sich nicht gegenseitig ausschließen: Zum einen ist es möglich, daß die Verdrängung der Hierarchie aus dem Bewußtsein des Parlamentariers ebenso wie das Symptom der Betriebsblindheit auf jene Geschäftigkeit zurückzuführen ist, die zwar den Blick für Details, nicht aber den für Zusammenhänge öffnet. Möglich ist es aber auch, daß der sich in der Hierarchie konstituierende Druck zugunsten von Anpassung und Wohlverhalten infolge seiner Allgegenwärtigkeit in die Routinesphäre absinkt, vom Parlamentarier folglich nicht mehr wahrgenommen wird, und daß damit seine Widerstandskraft gegen die über die Hierarchie vermittelten Stereotype erlahmt.

Eine Entscheidung zwischen den beiden Erklärungshypothesen kann infolge der Gleichzeitigkeit beider Ereignisse aus den bisher vorliegenden Daten nicht gefällt werden. Immerhin gibt es einen weiteren Befund aus der Korrelationsanalyse (nicht signifikant!), der für die zweite Hypothese spricht. Dieser Befund bedarf einer kurzen Erläuterung: Neun Abgeordnete, die 1969 den Zugang zu Informationen noch für schwierig gehalten hatten, sehen drei Jahre später keine Informationsprobleme mehr. Nehmen wir einmal an, diese Abgeordneten hätten die Eigenselektivität des parlamentarischen Informationsnetzes verinnerlicht und würden sich im Gegensatz zu früher nunmehr weitgehend mit dem zufrieden geben, was ihnen „zugetragen" wird. Wie müßte sich dieser Orientierungswechsel auf die von uns untersuchten Symptome auswirken?

Da wir es in diesem Fall direkter noch als in der vorangegangenen Fragestellung mit dem Betriebsblindheitssymptom zu tun haben, dürften eigentlich auch keine Wirkungsunterschiede bestehen. Das heißt Abgeordnete, die die Eigenselektivität des Informationssystems verinnerlichen, müßten auch introvertierter werden und an kämpferischem Willen verlieren. Das ist indessen nicht der Fall. Statt dessen ist bei diesen Abgeordneten eine überproportionale Neigung zur Konvergenz der allgemeinen Orientierungen und zu einem konservativeren Gesellschaftsbild festzustellen.

Tabelle II/14 *Parlamentarische Subkultur und Faktoren der parlamentarischen Sozialisation*

	Korrelation mit abnehmender Perzeption	
Subkultur: zunehmende(r)	der hierarchischen Kooperationsstruktur	des selektiven Informationssystems
Introversion	ja, positiv	nein
Betriebsblindheit	ja, positiv	entfällt (Autokorr.)
Konvergenz	nein	ja, positiv
Konservatismus	nein	ja, positiv
Loyalitätszunahme	ja, positiv	nein

Dieser Befund legt die Annahme nahe, daß sich die hierarchische Kooperationsstruktur auf die Neuparlamentarier anders auswirkt als die selektive Informationsstruktur. Die Hierarchie, so scheint es, erhöht vor allem die Aufmerksamkeitsschwelle, jenseits derer Probleme nicht mehr identifiziert, Anregungen nicht mehr aufgenommen werden. Die spezifische Selektivität des Informationssystems dagegen gibt der Meinungsbildung eine bestimmte Richtung, und zwar zugunsten einer Annäherung der „allgemeinen Orientierungen" und zugunsten eines konservativeren Gesellschaftsbildes [21].
Es kann an dieser Stelle der Untersuchung aber gar nicht eindringlich genug darauf hingewiesen werden, daß es sich bei diesen Annahmen nicht um empirisch belegte Thesen handelt. Ein Beleg kann hier schon deshalb nicht vorliegen, weil wir die Verinnerlichung der beiden Sanktionsmittel „Hierarchie" und „Informationssystem" als Ersatz genommen haben für den von uns in dem relativ kurzen Untersuchungszeitraum nicht beobachtbaren Aufstieg des Neuparlamentariers zum „Hierarchen" und zum „Gatekeeper". Die Annahme, daß dieser Aufstieg die Verinnerlichung spezifischer Einstel-

21 Vgl. *H. Schatz*, a. a. O., S. 65 u. 74.

lungen voraussetzt — darunter auch die Leugnung von Hierarchie und Selektivität des Informationssystems — kann nur durch langjährige Karriereuntersuchungen geprüft werden [22].

Der empirische Exkurs über das in diesem Abschnitt entwickelte Modell der Sozialisation von Neuzugängern in Organisationen hat jedoch mindestens ein Ergebnis gebracht: Jene Kraft für die Änderung von Einstellungen, die wir dem dreiteiligen Sanktionssystem zuschreiben, muß differenziert werden. Wir können nicht länger davon ausgehen, daß jedes der drei Sanktionsmittel die gleichen Werte der organisatorischen bzw. parlamentarischen Subkultur „transportiert". Ihr Einfluß auf die Einstellungen von Neuzugängern der Organisation bedarf getrennter Analysen. Ferner ist bei der empirisch orientierten Entwicklung des Sozialisationsmodells deutlich geworden, daß die Kommunikation selbst ein wichtiger Faktor zur Erklärung von Sozalisationsprozessen in Organisationen ist, weil sie die soziale Kontrolle schafft, unter der die abweichende Meinung schwer zu vertreten ist und die (nicht nur taktische) Anpassung deshalb wahrscheinlich wird. Das kann von großer Bedeutung beim Vergleich von Organisationen mit unterschiedlichem Grad der Arbeitsteilung sein [23].

4. Einflüsse der präparlamentarischen Sozialisation

Wenn die parlamentarische Organisation als eine Art Motor der Einstellungsänderungen von Neuparlamentariern anzusehen sind, dann muß es im Folgenden noch präziser um die Frage gehen, welche exogenen Kräfte sich mit größerem oder geringerem Erfolg gegen diese informelle Kraft der parlamentarischen Sozialisation stemmen könnten. Die Frage hat einen quantitativen und einen qualitativen Aspekt: Einerseits wäre es möglich, daß exogene Faktoren allgemein die Resistenz eines Parlamentariers gegen

22 *Dietrich Herzog,* Politische Karrieren, Opladen 1975. Herzog gelingt zwar der Nachweis der Bedeutung politischer Auswahlgremien für die Sozialisation des politischen Aufteigers. Bei einmaliger Befragung und retrospektiver Cross-Sectional-Analyse bleibt aber auch ihm der Zusammenhang zwischen spezifischen Organisationen und Organisationsstrukturen sowie dem politischen Einstellungswandel von Aufsteigern verschlossen.

23 Vgl. dazu *Nelson W. Polsby,* Legislatures, in: The Handbook of Political Science, Vol. 5, Reading (Mass.) 1975.

die sozialisierenden Kräfte der Organisation steigern; andererseits wäre es auch möglich, daß die Resistenz des Parlamentariers nur in bestimmten Bereichen und zuungunsten bestimmter Richtungen des Meinungswechsels exogen erzeugt wird.

In der folgenden Globalanalyse haben wir zunächst die Einstellungsänderungen der einzelnen Neuparlamentarier über alle 77 Variablen gleichgewichtig aufaddiert. So können wir sagen, daß auf jeden der 49 zweimal befragten Neuparlamentarier bei den gemessenen 1527 Einstellungsänderungen ein Anteil von durchschnittlich 47,3 Prozent der insgesamt von ihm geäußerten Meinungen entfällt. Die Schwankungen zwischen den Neuparlamentariern sind jedoch relativ groß: die höchste Anzahl der Einstellungsänderungen liegt bei 63 Prozent, die niedrigste bei 33 Prozent der geäußerten Meinungen. Daran wird deutlich, daß sich die Einstellungen der Neuparlamentarier schon bei ihrer ersten Befragung, bevor sie parlamentarische Erfahrungen im Deutschen Bundestag sammeln konnten, in unterschiedlicher Weise verfestigt hatten.

Mit der Variation kann ebenso verfahren werden wie mit der Fluktuation. Bei einem Signifikanzniveau von 95 Prozent liegen bei den 27 Variablen mit signifikanter Variation (vgl. Tabelle II/6, S. 90) insgesamt 420 Einstellungsänderungen vor, die die Richtung der Variation begründen. (Einstellungsänderungen in entgegengesetzter Richtung werden hier nicht mitgezählt.) Jeder Neuparlamentarier müßte also mit 420/49 = 8,6 Einstellungsänderungen an dieser parlamentarischen Sozialisation beteiligt sein. Tatsächlich ergibt sich auch hier eine Schwankung zwischen 4 und 14 Einstellungsänderungen, d. h. einige Neuparlamentarier sind dreieinhalb mal so stark „sozialisiert" worden wie andere. Die Gründe für die Streuung der Fluktuation und der Variation können, wie schon erwähnt wurde, in einer (bezogen auf den hier kontrollierten Background, Status und bezogen auf die kontrollierten Grundeinstellungen) zufälligen unterschiedlichen Ausgesetztheit gegenüber informellen internen parlamentarischen Strukturen liegen. Im vorigen Abschnitt haben wir diese Möglichkeit theoretisch erörtert und anhand einiger Daten zu prüfen versucht. Die Gründe für die Streuung können aber auch in der unterschiedlichen Vorsozialisation liegen — eine Perspektive, die nunmehr eingehender analysiert werden soll.

Den Test auf die Annahme, daß Anpassungsbereitschaft und Anpassungsresistenz gegenüber dem Druck der parlamentarischen Sozialisation mit der „Vorsozialisation" variieren können, haben wir anhand mehrerer uns zugänglicher Daten vorgenommen. Dabei schien uns eine Kontrolle des Einflusses von sogenannten Background-Variablen, die etwas über empirische oder analytische Gruppenzugehörigkeit sagen (Partei, Religion, Berufsgruppe, Ausbildungsgruppe usw.), nicht ausreichend. Über diese Variablen kann man nur indirekt und deshalb auch nur mit geringem Grad an Verläßlichkeit etwas über die Grundeinstellungen eines neuen Organisationsmitgliedes erfahren. Wir haben deshalb versucht, zusätzlich auch einige Grundeinstellungen zu erheben, sind dabei aber an methodologische Grenzen gestoßen. So zeigt sich etwa bei unserem Versuch, 6 Grundeinstellungen zu isolieren (siehe S. 120), zwischen den beiden Panelbefragungen immer noch eine Fluktuation von durchschnittlich 27,6 Prozent der geäußerten Meinungen. (Zum Vergleich: Bei allen 77 Variablen liegt der Durchschnitt bei 47,3 Prozent.)[24] Diese relativ hohe Fluktuation von 27,6 Prozent gibt zu denken, ob es sich bei den erhobenen Daten wirklich um so etwas wie Grundeinstellungen handelt — in Kapitel 3 werden wir auf diese Frage zurückkommen — und wir sollten deshalb bei den folgenden Analysen mit Schlußfolgerungen sehr vorsichtig sein. Von diesem Vorbehalt können lediglich die beiden Variablen „Ziele über Parteiprogramm hinaus" (Fluktuation 19 Prozent) und „Haben wir eine Klassengesellschaft" (Fluktuation 21 Prozent) ausgenommen werden (Tabellen II/15 und II/16).

24 Zusätzliche Schwierigkeiten entstehen, wenn man die Möglichkeit einkalkuliert, daß Abgeordnete auch dann eine Meinung geäußert haben, wenn sie eigentlich gar keine haben. Philip Converse weist mit Recht darauf hin, daß wohl die meisten Erhebungen durch derartige Angaben „verschmutzt" werden. Die weitgehendste Hypothese zur „Verschmutzung" geht davon aus, daß sich Einstellungen kurz- oder mittelfristig nicht ändern können. In dem Fall ist jede Fluktuationsrate Ausdruck ausschließlich von „Non-Attitudes". Da man realistischerweise annehmen muß, daß sich die Non-Attitudes bei einem gegebenen Code zufällig verteilen — also auch zufällig zweimal dieselbe Antwort gegeben worden sein kann — ist die tatsächliche Rate der Non-Attitudes doppelt so hoch wie die Fluktuationsrate. In unserem Fall müßten wir also davon ausgehen, daß bei den „Grundeinstellungen" zu rund 55 Prozent überhaupt keine Einstellungen vorhanden sind. Dieser Wert würde sich noch erhöhen, wenn man mehr als zwei kodierte Antworten zuläßt. — Der exakte Wert läßt sich nicht bestimmen, solange der Terminus „Einstellungen" nicht operational definiert worden ist. Zudem müßten weitere Informationen über die Befragten vorliegen. Vgl. *Philip Converse,* Attitudes and Nonattitudes, in: E. Tufte (ed.), The Quantitative Analysis of Social Problems, Reading (Mass.) 1970, S. 168—189, und kritisch hierzu die Diskussion zwischen *P. Converse, J. C. Pierce* und *D. Rose,* in: American Political Science Review, Vol. 68 (1974), S. 626—666.

Tabelle II/15 *Ziele über das Parteiprogramm hinaus*

Frage: Haben Sie politische Ziele, die über das Programm Ihrer Partei hinausgehen?

Antwort: (1) Ja
(2) Nein

		1972 (1)	(2)	SU
1969	(1)	16	5	21
	(2)	4	23	27
	SU	20	28	48

Fluktuation = .19
Variation = .02

Tabelle II/16 *Charakterisierung der Gesellschaftsordnung*

Frage: Es wird ja oft darüber diskutiert, ob man heute noch von Klassenunterschieden in unserer Gesellschaft sprechen kann. Würden Sie sagen, daß es solche Unterschiede gibt?

Antwort: (1) Ja
(2) Nein

		1972 (1)	(2)	SU
1969	(1)	16	8	24
	(2)	1	18	19
	SU	17	26	43

Fluktuation = .21
Variation = .16

Neben Grundeinstellungen und Background-Variablen könnte ein dritter Faktor nicht unwesentliche Auswirkungen auf die Anpassungsbereitschaft und -resistenz ausüben, dessen Einfluß nicht auf der Vorsozialisation, sondern auf Statussicherheit beruht. Dieser Faktor berührt im wesentlichen die Stellung des neuen Organisationsmitgliedes im weiteren Umfeld der Organisation. So ist anzunehmen, daß der Anpassungsdruck der parlamentarischen Sozialisation desto weniger Angriffsfläche bei einem Neuparlamentarier findet, je weniger dieser auf Diäten angewiesen ist; je sicherer sein Mandat ist; je sicherer und je mehr seine Arbeitsbedingungen durch außerparlamentarische Institutionen aufgebessert worden sind. Auch zu diesem Faktor haben wir einige uns wichtig erscheinende Daten erhoben.
Die vielfältigen Beziehungen innerhalb und zwischen den drei Variablen-Bündeln lassen eine unkontrollierte Beziehungs-Analyse mit den Variablen Fluktuation und Variation nicht geeignet erscheinen. Aus diesem Grund haben wir zunächst den gegenseitigen Einfluß der Background- und Statusvariablen und der Grundeinstellungen untersucht. Die Skizzen II/3 bis II/5 geben die wichtigsten Beziehungen wieder.
In dem von uns gezogenen Sample erweisen sich die Beziehungen der Background-Variablen untereinander insgesamt als relativ schwach (Skizze II/3). Einen deutlichen Einfluß übt allerdings die Religionszugehörigkeit (katholisch vs. evangelisch) auf die Ausbildung, auf die Parteizugehörigkeit und auf die Berufswahl (Verwaltungsbeamter vs. andere Berufe) aus. Protestanten haben erwartungsgemäß im Durchschnitt eine höhere Ausbildung als Katholiken. Katholiken bevorzugen die CDU/CSU, Protestanten die SPD. Ferner sind die Katholiken bei den Verwaltungsbeamten, die Neuparlamentarier geworden sind, überrepräsentiert. Wichtig erscheint auch die Verbindung zwischen Parteizugehörigkeit und Parteiaktivität. Ihr zur Folge haben CDU/CSU-Neuparlamentarier wesentlich häufiger als ihre Kollegen von der SPD auf bundes- oder landespolitischer Ebene Erfahrungen sammeln können, bevor sie zum ersten Mal in den Bundestag gewählt wurden. Das ist der einzige Hinweis darauf, daß christdemokratische Kandidaten eine sorgfältigere parteipolitische und zugleich — aus der Sicht des Bundestages — praxisnahe Vorsozialisation erfahren haben. Immerhin läßt dieser Hinweis vermuten, daß Neuparlamentarier der CDU/CSU der parlamentarischen Subkultur schon stärker angepaßt sind als die Kollegen von der SPD und daß sich bei den letzteren deshalb auch mehr Einstellungsänderungen finden lassen werden. Wir werden später sehen, daß das in der Tat zutrifft.

Skizze II/3 *Korrelationen und Betagewichte zwischen Background- und Statusvariablen*

(Mit einem * gekennzeichnete Werte sind auf .05 signifikant.)

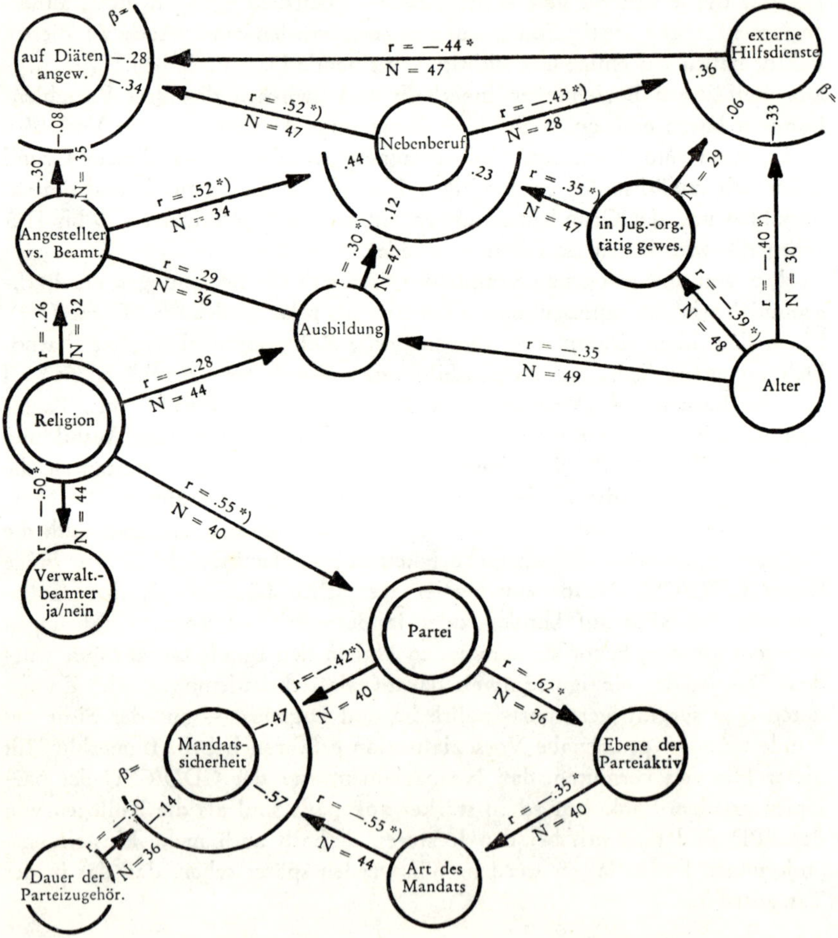

Unter den Backgroundvariablen erweist sich schließlich das Alter des Neuparlamentariers als einflußreich. Die Jüngeren unter den Neuparlamentariern haben in der Regel eine höhere Ausbildungsstufe erklommen und sind in der Jugendorganisation der Partei bereits tätig gewesen. Der Grund hierfür könnte sein, daß Ausbildung und Engagement in der Jugendorganisation bei der Rekrutierung, d. h. bei der Kandidatenaufstellung, als eine Art Kompensation für Seniorität anerkannt werden. Da wir annehmen, daß auch das Engagement in der Jugendorganisation ein wichtiger Sozialisationsfaktor ist, kann nicht ausgeschlossen werden, daß das Alter als Indikator für die Vorsozialisation in der vorliegenden Untersuchung versagt.
Bei den Status-Variablen zeigt sich ein starkes Beziehungsgeflecht. Zunächst sehen wir, daß die Mandatssicherheit [25], die einen guten Schutz gegen den parlamentarischen Sozialisationsdruck geben könnte, bei den CDU/CSU-Neuparlamentariern und bei den Direktmandaten wesentlich größer ist als bei den Sozialdemokraten und bei den Listenmandaten. Wenn wir oben schon Grund für die Annahme fanden, daß Christdemokraten dem Anpassungsdruck der parlamentarischen Sozialisation infolge ihrer politischen Vorsozialisation weniger ausgesetzt sind als Sozialdemokraten, so müssen wir nun hinzufügen, daß sie auf Grund ihrer größeren Mandatssicherheit gegen den verbleibenden Anpassungsdruck vermutlich auch besser gerüstet sind.
Ferner haben wir angenommen, daß die Statussicherheit und damit die Widerstandskraft des Neuparlamentariers gegen die parlamentarische Sozialisation größer ist, wenn er
— finanziell nicht auf die Diäten angewiesen ist;
— nebenher noch seinen Beruf ausübt;
— seine Arbeitsbedingungen durch außerparlamentarische Institutionen (Verbände, Gewerkschaften, Parteiämter usw.) verbessern kann.
Skizze II/3 ist zu entnehmen, daß die drei Variablen nur schwach und nicht signifikant miteinander verbunden sind. Vor allem ergibt sich keinerlei Beziehung zwischen ihnen und den Background-Variablen Religions- und Parteizugehörigkeit.
Bei den Grundeinstellungen (Skizze II/4) ergibt sich zunächst ein schwacher und auf Grund des zu kleinen Samples nicht signifikanter Zusammenhang zwischen den Attitüden „glaubt, politische Ziele über das Parteiprogramm hinaus zu haben“ (Zielorientierung) und „hält es für möglich, den Ruf eines unbequemen Abgeordneten zu haben“ (Ichstärke). Abgeordnete mit diesen

25 Die Einstufung von Wahlkreisen und Listenplätzen der befragten Abgeordneten nach Sicherheit wurde anhand der ex-ante-Einschätzung von *Heino Kaack*, Wer kommt in den Bundestag? Opladen 1969, S. 99—157, vorgenommen.

Attitüden scheinen eher als andere Abgeordnete die Auffassung zu vertreten, daß die Kontrollmöglichkeiten des Parlamentariers gegenüber der Regierung verbesserungsbedürftig sind (Kontrollmotivation). Ferner scheinen Neuparlamentarier, die ein Klassengesellschaftsbild haben, eher als andere Abgeordnete Ziele zu haben, die über das Parteiprogramm hinausgehen, und sich eher als Interessenvertreter denn als Vertreter des Gemeinwohls zu fühlen (Rollenverständnis). Diese Präferenz teilen sie mit den Abgeordneten, die sich als kommende Berufspolitiker ansehen (Professionalisierungsgrad). Die Berufspolitiker haben jedoch nicht häufiger Ziele, die über das Parteiprogramm hinausgehen, sondern halten es stattdessen eher als die „Gelegenheitspolitiker" für möglich, daß sie den Ruf eines unbequemen Abgeordneten haben. Da alle hier vorgefundenen Beziehungen unserer Intuition entsprechen, wollen wir sie der mangelnden Signifikanz und der mangelnden multiplen Korrelationsanalyse zum Trotz nicht zu kritisch bewerten.

Skizze II/4 *Korrelation von Grundeinstellungen*

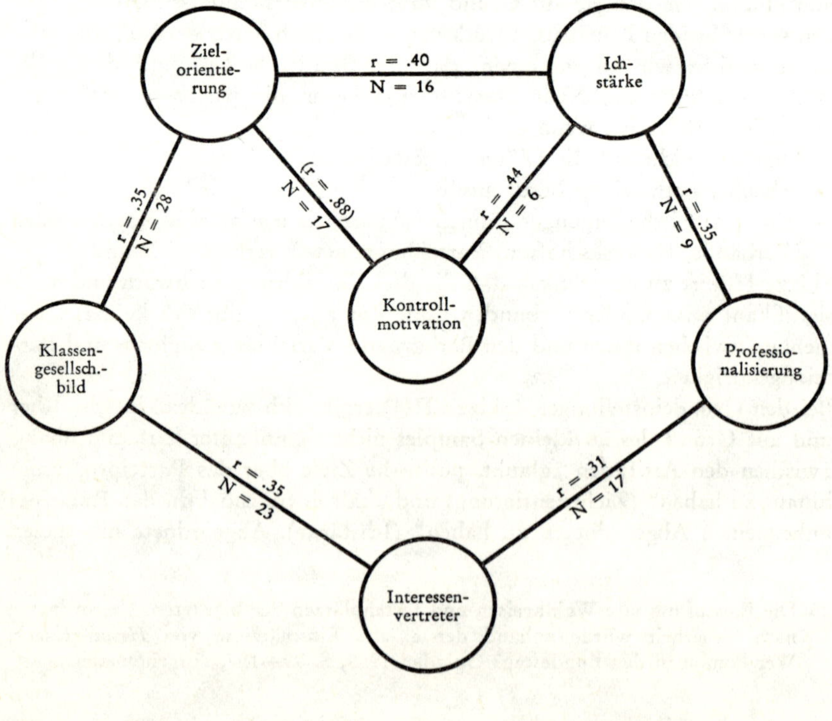

Wenden wir uns nun der Verbindung zwischen Background- und Statusvariablen einerseits und den Grundeinstellungen andererseits zu (Skizze II/5). Zunächst ist festzustellen, daß die Background-Variablen keinen Einfluß auf die „Ichstärke", auf das Rollenverständnis und auf die Frage haben, ob der Neuparlamentarier in der Politik die Kenntnis des Einflußbereichs wichtiger Personen oder Sachverstand für bedeutsamer hält („Kenntnis"). Zu den übrigen vier Grundeinstellungen, die wir erhoben haben, bestehen allerdings nicht zu übersehende Verbindungen von den Background- und Statusvariablen aus. Sie geben uns einen guten ersten Einblick über die politische Vorsozialisation des Neuparlamentariers und sollen deshalb an dieser Stelle auch etwas ausführlicher diskutiert werden.

Skizze II/5 *Betagewichte von Grundeinstellungen, Background- und Statusvariablen*

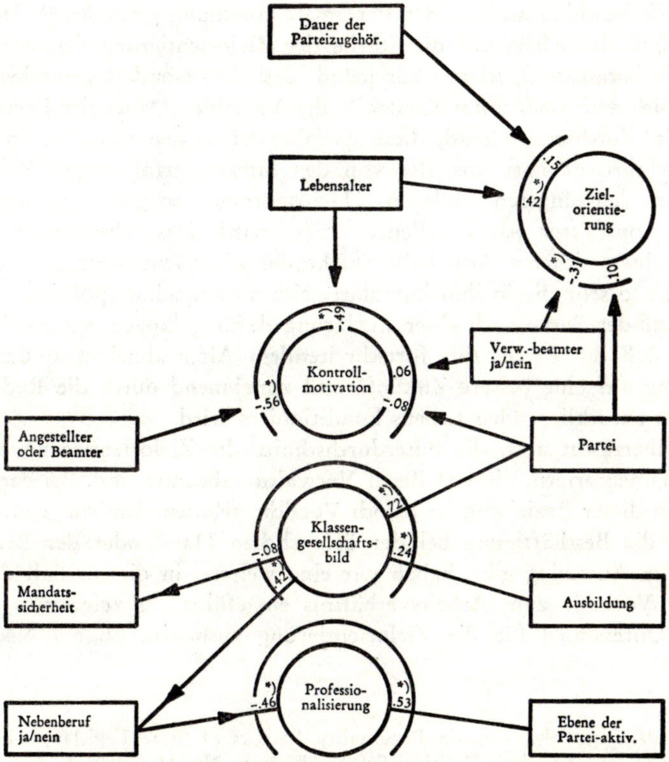

Eine überdurchschnittliche Zielorientierung findet sich vor allem bei den jüngeren Neuparlamentariern, eine unterdurchschnittliche Zielorientierung ergibt sich bei den Verwaltungsbeamten unter ihnen. Einen geringeren Einfluß auf die Zielorientierung haben ferner die Partei und die Dauer der Parteizugehörigkeit: Sozialdemokraten sind etwas stärker zielorientiert als Christdemokraten, Abgeordnete mit neuerem Parteibuch stärker als solche mit älterem Parteibuch. Insgesamt können immerhin 41 Prozent der Varianz in der Zielorientierung durch diese vier Backgroundvariablen erklärt werden. Erstaunlich erscheint uns vor allem der geringe Einfluß der Partei und der Dauer der Parteizugehörigkeit. Er indiziert — gemessen an den Parteiprogrammen, die zum Wahlkampf 1969 vorgelegen hatten — eine nahezu identische Integrationskraft der beiden großen Parteien gegenüber den von ihnen aufgestellten neuen Kandidaten.

Daß junge Leute ihr Denken und Handeln stärker an (fernen) Zielen orientieren als ältere, entspricht zwar ganz der allgemeinen Annahme und hat seinen Niederschlag auch in der Parlamentsforschung gefunden [26]. Daß sich der Einfluß des Alters auf die Stärke der Zielorientierung dennoch als so gewichtig herausstellt, scheint uns jedoch deshalb besonders bemerkenswert, weil er sich auch noch unter Kontrolle der Variable „Dauer der Parteizugehörigkeit“ durchsetzt. Gerade diese Variable drückt den kumulativen politischen Erfahrungsschatz aus, der von den älteren, erfahreneren Politikern gegenüber den jüngeren Kollegen („Heißspornen“) so gerne als (legitimer) Sozialisationsfaktor par excellence zitiert wird. Das Alter selbst scheint also zu einem sicheren Anteil die Stärke der Zielorientierung zu beeinflussen, nicht so sehr die in ihm kumulativ sich ansammelnde politische Erfahrung. Auf der Suche nach einer Erklärung dafür gelangen wir zu der Annahme, daß die Psyche mit fortschreitendem Alter abnehmend durch die Hoffnung auf eine bessere Zukunft und zunehmend durch die Rechtfertigung des zurückliegenden Lebens konditioniert wird.

Wenig überrascht auch die unterdurchschnittliche Zielorientierung bei den Neuparlamentariern, die von Beruf Verwaltungsbeamte sind. Bei der Interpretation dieser Beziehung ist jedoch Vorsicht geboten. Um sicher zu gehen, ob hier die Beschäftigung bei der öffentlichen Hand oder der Beamtenstatus den Ausschlag gibt, haben wir eine weitere, in diesem Fall dichotomisierte Variable zum Arbeitsverhältnis eingeführt. Es zeigt sich, daß es keinen Unterschied für die Zielorientierung ausmacht, ob ein Neuparla-

26 *J. B. McConaughy*, Certain Personality Factors of State Legislators in South Carolina, in: American Political Science Review, Nr. 44 (1950), S. 897—903.

mentarier in seinem Beruf Beamter oder Angestellter ist. Wenn die Beamten insgesamt eine durchschnittliche, die Verwaltungsbeamten jedoch eine unterdurchschnittliche Zielorientierung aufweisen, dann müssen andere Beamte — vor allem Lehrer — eine überdurchschnittliche Zielorientierung haben. Wir sehen also, daß der entscheidende Faktor nicht die Statussicherheit des Beamten, sondern seine bürokratische Tätigkeit ist, die ihn von seinen lehrenden Statuskollegen hinsichtlich der Zielorientierung unterscheidet. Es scheint plausibel, daß hier die tägliche Beschäftigung mit theoretischer Wissensvermittlung und die Auseinandersetzung insbesondere mit jüngeren Menschen auf der einen Seite und die relative soziale Isolation des Verwaltungsbeamten auf der anderen Seite eine Rolle spielten.

Eine sehr starke Beziehung besteht ferner zwischen dem Gesellschaftsbild der Neuparlamentarier und den Background- und Statusvariablen. Die Kausalität ist hier jedoch nicht so eindeutig wie bei der Analyse der Zielorientierung. So scheint es unmöglich, zu sagen, daß die drei Variablen Parteizugehörigkeit, Ausbildung und Nebenberuf zusammen etwa 80 Prozent der Varianz des Gesellschaftsbildes erklären. Eher ist anzunehmen, daß die leichte Kovarianz von Gesellschaftsbild und Ausbildung auf den sozioökonomischen Status des Elternhauses zurückzuführen ist. Desgleichen kann für die Kovarianz mit der Parteizugehörigkeit vermutet werden, und insoweit das nicht der Fall ist, wird das Klassengesellschaftbild eher die Wahl der Partei als umgekehrt die Parteizugehörigkeit die Wahl des Gesellschaftsbildes beeinflußt haben. Leider lassen sich diese Hypothesen anhand der vorliegenden Daten nicht prüfen.

Von besonderem Interesse ist die relativ enge Beziehung zwischen dem Gesellschaftsbild und der Ausübung der Berufstätigkeit neben der Abgeordnetentätigkeit. Es scheint unplausibel, daß Neuparlamentarier mit einem hierarchischen oder liberalen Gesellschaftsbild beruflich leichter abkömmlich sind oder etwa ihren Beruf unter den Bedingungen einer Teilzeitbeschäftigung schlechter ausüben können als Neuparlamentarier mit einem Klassengesellschaftsbild. Möglich erscheint, daß sich die Neuparlamentarier mit einem Klassengesellschaftsbild in Bezug auf ihren Status unsicherer fühlen und deshalb nach einer zusätzlichen Absicherung durch die Fortsetzung ihrer Arbeit im Beruf suchen. Diese Annahme könnte auch darin eine Stütze finden, daß die Neuparlamentarier mit einem Klassengesellschaftsbild eher aus unteren sozio-ökonomischen Schichten stammen und sich deshalb in dem gerade erst erworbenen Status eines Parlamentariers relativ unsicher fühlen. Die Beziehung zwischen Ausbildung und Fortsetzung der Berufstätigkeit, die wir bei der Analyse der Background- und Statusvariablen bereits festgestellt haben, liegt auf der Linie dieser Interpretation.

Allem Anschein nach hängt die Grundeinstellung der Neuparlamentarier zu der Frage, ob die Kontrollmöglichkeiten des Parlamentariers gegenüber der Exekutive verbessert werden sollen, vom Lebensalter und von ihrer Stellung ab. Diese beiden Faktoren erklären über die Hälfte der Varianz der genannten Grundeinstellung. Daß die Kontrollmotivation ebenso wie die Zielorientierung zu einem sicheren Anteil altersbedingt sind, erklärt auch die wegen des kleinen Subsamples nicht signifikante Korrelation zwischen den beiden Grundeinstellungen (vgl. Skizze II/4). Das gleiche trifft auch für die Stellung des Parlamentariers (Beamter oder Angestellter) zu. Daß sowohl die Kontrollmotivation als auch die Zielorientierung in signifikantem und starkem Maße bei den jüngeren Neuparlamentariern und bei jenen ausgeprägt sind, die aus einer Angestelltenposition (im allgemeinen ohne Rückkehrsicherheit) heraus in den Bundestag kamen, während sie bei den älteren und bei den verbeamteten Neuparlamentariern unterdurchschnittlich ausgeprägt sind, unterstreicht die Bedeutung dieser Rekrutierungsmerkmale für die parlamentarische Meinungsbildung zu Fragen der Parlamentsreform und vermutlich auch der politischen Planung.
Schließlich zeigt die Analyse der Beziehungen von Grundeinstellungen, Background- und Statusvariablen eine Verbindung zwischen der politischen Professionalisierung einerseits, der Fortsetzung der Berufstätigkeit und Höhe der bereits vor Mandatsantritt erreichten politischen Positionen andererseits.
Auf den Willen, sich der Politik ganz zu widmen, stoßen wir überwiegend bei denjenigen Neuparlamentariern, die neben der parlamentarischen Tätigkeit ihren Beruf weiterhin ausüben oder die vor ihrem Mandatsantritt lediglich auf Orts- und Bezirksebene, nicht jedoch schon auf Landes- oder Bundesebene politisch gewirkt haben. Dieses ganz und gar kontraintuitive Ergebnis dürfte schwer zu erklären sein, und gewiß wäre es als statistischer Zufall zu interpretieren, wenn nicht gleich zwei, übrigens voneinander unabhängige Statusvariablen (vgl. Skizze II/3), diese scheinbare Inkonsistenz aufwiesen. Wir wollen hier nicht um jeden Preis nach Konstruktionen suchen, um diese Irregularität erklären zu können, sondern überlassen diesen Versuch späteren Untersuchungen [27].
Die Struktur unseres Samples zeigt eine Reihe von Clustern und Ketten, die einen Einblick in Rekrutierungsregeln und in die Struktur der Statusabsicherung geben. Am wichtigsten scheinen uns die folgenden Merkmale zu sein:

27 Vgl. schon heute die Untersuchungen von *Dietrich Herzog*, a. a. O.

— Katholiken gelangen überwiegend über die CDU/CSU in das Parlament, Protestanten über die SPD; Neuparlamentarier aus der CDU/CSU haben in der Regel zuvor Parteiämter auf Bundes- oder Landesebene bekleidet, während sich die SPD-Neuparlamentarier ihre Sporen auf Orts- und Kreisebene verdienen konnten;
— Neuparlamentarier haben entweder ein ausreichendes Alter vorzuweisen (über 35 Jahre), oder sie müssen eine höhere Ausbildung aufweisen können, oder sie müssen in der Jugendorganisation der Partei gedient haben;
— Eine statusmäßige Absicherung des Neuparlamentariers kann auf zwei Wegen erfolgen: Er kann entweder in seinem Hauptberuf tätig bleiben; dann findet er in der Regel auch Möglichkeiten, seine Arbeitsbedingungen als Parlamentarier zu verbessern und von Diäten weitgehend unabhängig zu bleiben. Dieser Weg wird von Angestellten und Politikern mit Lehr- oder Fachschulausbildung häufiger beschritten als von Beamten und Politikern mit Hochschulausbildung. Oder der Neuparlamentarier kann eine relativ hohe Mandatssicherheit haben, die ihm bei der Bewerbung um ein Direktmandat (das in der Regel zusätzlich über die Liste abgesichert ist) und bei der CDU/CSU eher zufällt als bei einer Bewerbung lediglich um ein Listenmandat und einer Kandidatur bei der SPD.
— Wer ein Klassengesellschaftsbild hat und deshalb zumeist über die SPD in das Parlament gelangt ist, sichert seinen Status eher durch die Fortsetzung seiner beruflichen Tätigkeit ab als ein Neuparlamentarier mit einem vergleichsweise konservativeren Gesellschaftsbild;
— Zielorientierung und hohe Kontrollmotivation finden sich bei jüngeren wesentlich häufiger als bei älteren Neuparlamentariern. Die Stellung als Beamter allgemein bremst die Kontrollmotivation, die als Verwaltungsbeamter speziell die Zielorientierung des Neuparlamentariers.

Die Analyse der Vorsozialisation und der statusmäßigen Absicherung des Neuparlamentariers deutet darauf hin, daß die Einstimmung der Grundeinstellungen nicht in der Partei erfolgt, sondern zu einem gewissen Teil alters- und berufsbedingt ist. Da aber auch diese Variablen nur einen kleineren Teil der Varianz und das auch nur bei zwei von sieben geprüften Grundeinstellungen zu erklären vermögen, schließen wir auf eine starke allgemeine politische Sozialisation der Grundeinstellungen in Elternhaus und Peergruppen.
So wenig es einen spezifischen parteipolitischen Effekt auf die Sozialisation von Grundeinstellungen gibt, so wenig ist auch anzunehmen, daß es einen unmittelbaren parteipolitischen Effekt auf die Sozialisation anderer Ein-

stellungen gibt. Diese Annahme schließt jedoch nicht aus, daß die Rekrutierungsbedingungen und die Bedingungen der Kandidatenauslese von den Parteien unterschiedlich gesetzt werden und daß dadurch eine unterschiedliche Qualität der vorparlamentarischen Sozialisation entsteht. Einflüsse dieser Art wären nach dem Ergebnis der Sample-Analyse über die Religion und über die vorangegangene Parteikarriere (Orts-, Kreis-, Landes- und Bundesebene) möglich. Ferner ist anzunehmen, daß eine höhere Statussicherheit (Mandatssicherheit) bei den CDU/CSU-Neuparlamentariern deren höhere Resistenz gegen den Einfluß einer parlamentarischen Sozialisation ermöglicht. Tabelle II/17 zeigt die Beziehungen zwischen den Background-, Status-Variablen und Grundeinstellungen einerseits und der Fluktuation andererseits.

Tabelle II/17 *Fluktuation und Variation in Abhängigkeit von Grundeinstellungen, Background- und Statusvariablen*

Variablen	Fluktuation eta	Fluktuation eta²	Fluktuation F	Variation eta	Variation eta²	Variation F
Zielorientierung	.01	.00	(1/37) = 0,1	.07	.00	(1/37) = 0,2
Egostärke	.33	.11	(1/17) = 2,2	.23	.05	(1/17) = 0,1
Interessenvertreter	.08	.00	(1/30) = 0,2	.12	.01	(1/30) = 0,5
Kenntnis	.38	.14	(1/20) = 3,4	.29	.08	(1/20) = 1,9
Kontrollmotivation	.16	.02	(1/21) = 0,6	.20	.04	(1/21) = 0,9
Klassengesellschaftsbild	.28	.07	(1/33) = 2,8	.31	.09	(1/33) = 3,5
Professionalisierung	.02	.00	(1/26) = 0,0	.02	.00	(1/26) = 0,0
Lebensalter	.06	.00	(1/47) = 0,2	.04	.00	(1/47) = 0,1
Religion	.36	.13	(1/42) = 6,5	.35	.12	(1/42) = 5,9
Ausbildung	.02	.00	(1/47) = 0,0	.05	.00	(1/47) = 0,1
Partei	.34	.11	(1/43) = 5,8	.36	.13	(1/43) = 6,5
Dauer d. Parteizugehörigkeit	.08	.00	(2/38) = 0,2	.08	.00	(2/38) = 0,2
Ebene d. Pareiaktivität	.33	.11	(1/38) = 4,7	.22	.05	(1/38) = 2,0
In Jug.-org. gewesen	.26	.06	(1/46) = 3,4	.12	.01	(1/46) = 0,7
Erfahr. in öff. Ämtern	.20	.04	(1/46) = 1,9	.22	.05	(1/46) = 2,5
Verw.-beamter Ja/Nein	.22	.05	(1/47) = 2,5	.00	.00	(1/47) = 0,0
Mandatsart	.07	.00	(1/47) = 0,3	.07	.00	(1/47) = 0,3
Mandatssicherheit	.10	.01	(1/42) = 0,5	.11	.00	(1/42) = 0,0
Nebenberuf	.00	.00	(1/45) = 0,0	.10	.01	(1/45) = 0,5
Auf Diäten angewiesen	.05	.00	(1/46) = 0,1	.03	.00	(1/46) = 0,0
Externe Hilfsdienste	.08	.00	(1/28) = 0,2	.11	.01	(1/28) = 0,4
Angest. od. Beamter	.10	.01	(1/34) = 0,4	.01	.00	(1/34) = 0,0

Die Hypothese zur höheren Resistenz gegen die parlamentarische Sozialisation bei sicherem Status muß auf Grund der Daten zurückgewiesen werden. Die Annahme zum Einfluß der Rekrutierung und Kandidatenauslese auf die Differenzierung der Vorsozialisation und Resistenz bei den Parteien wird bestätigt: Die Fluktuation ist bei den Protestanten wesentlich höher als bei den Katholiken, bei Neuparlamentariern mit Erfahrungen in Landes- und Bundesparteiämtern wesentlich niedriger als bei Neuparlamentariern, die nur auf Orts- oder Kreisebene Erfahrungen sammeln konnten.

Zusätzlich zeigt sich ein leichter Einfluß auch der Erfahrungen in der Jugendorganisation; wer schon in ihnen aktiv war, ändert seine Meinungen weniger als Neuparlamentarier, die diese Gelegenheit nicht wahrgenommen haben. Bei der gegebenen Rekrutierung der Fraktionen scheint hieraus die höhere Fluktuationsrate bei den Sozialdemokraten zu resultieren.

Eine Regressionsanalyse der in Bezug auf die Fluktuation wichtigsten Background- und Statusvariablen (Tabelle II/18) bestätigt bei sehr niedrigem Signifikanzniveau die oben entwickelte Annahme:

Tabelle II/18 *Regressionsanalyse der Fluktuation in Abhängigkeit von Background- und Statusvariablen*

Multipler Korrelationskoeffizient: .57
Anteil der erklärten Varianz: .33
Residuale Freiheitsgrade (N-K-1): 23

Unabhängige Variable	Beta	Sigma (Beta)
Partei	36	.35
Lebensalter	—.32	.23
Dauer der Parteizugehörigkeit	.09	.19
Religion	—.49	.28
Beamter/Angestellter	—.02	.21
In Jug.-org. der Partei tätig gew.	—.32	.20
Öffentl. Ämter geführt	.13	.18
Ebene der Parteiaktivität	—.48	.27

Religion und Vorsozialisation in Parteiämtern haben offensichtlich den stärksten Einfluß auf die Fluktuation, gefolgt von der Sozialisation in Jugendorgansationen der Parteien. Nach Kontrolle dieser Variablen ver-

schwindet der zuvor entdeckte Unterschied in der Fluktuation zwischen den Parteien vollends. Dieses doch recht eindeutige Ergebnis darf freilich nicht darüber hinwegtäuschen, daß selbst unter Berücksichtigung der nicht-signifikanten Korrelation der multiple Korrelationskoeffizient auf .57, die erklärte Varianz mithin auf .33 begrenzt bleibt.
Bei der Analyse der Variation zeigt sich ein ähnliches Bild, jedoch weit schwächer ausgeprägt. Einen nennenswerten Einfluß auf die Variation haben unter den Background- und Statusvariablen hier nur noch die Partei und die Religion (Tabelle II/17).

Tabelle II/19 *Regressionsanalyse der Varianten in Abhängigkeit von Background- und Statusvariablen*

Multipler Korrelationskoeffizient: .52
Anteil der erklärten Varianz: .27
Residuale Freiheitsgrade (N-K-1): 23

Unabhängige Variable	Beta	Sigma (Beta)
Partei	.09	.36
Lebensalter	—.23	.24
Dauer der Parteizugehörigkeit	.19	.20
Religion	—.48	.30
Beamter/Angestellter	—.25	.21
In Jug.-org. der Partei tätig gew.	—.15	.21
Öffentl. Ämter geführt	.18	.18
Ebene der Parteitätigkeit	—.24	.28

Die Regressionsanalyse macht zusätzlich deutlich, daß hier praktisch nur von einem (schwach signifikanten) Einfluß der Religion die Rede sein kann, die erklärte Varianz geht auf .27 zurück (Tabelle II/19). Daraus, daß sich die Vorsozialisation in Parteiämtern und in der Jugendorganisation nur auf die Fluktuation, nicht auch auf die Variation auswirkt, müssen wir vorläufig schließen, daß sie nur die Urteilssicherheit fördert. Einer präparlamentarischen Vorbereitung im Sinne einer vorgezogenen Anpassung an die parlamentarische Subkultur kommt sie dagegen nicht zugute.
Außerordentlich überraschen muß der Einfluß der Glaubensgemeinschaft auf Fluktuation und Variation. Protestanten ändern ihre Einstellungen rascher als Katholiken, ihre Meinungen sind weniger verfestigt. Wenn sie außer-

dem einen größeren Anteil an der parlamentarischen Sozialisation tragen als die Katholiken, so können wir das kaum auf eine religionsspezifische und d. h. bei den Katholiken geeignetere Vorbereitung auf den parlamentarischen Dienst zurückführen. Vielmehr ist zu vermuten, daß die Anpassungsbereitschaft bei den Protestanten höher ist als bei den Katholiken, und daß sie sich deshalb schneller einfügen können. So gesehen müssen wir ferner annehmen, daß die Ursache der niedrigen Fluktuation bei den Katholiken nicht in ihrer höheren politischen Urteilssicherheit, sondern in einer mit den Protestanten verglichen geringeren Fähigkeit/Bereitschaft zur Anpassung an die spezifischen Bedingungen einer neuen organisatorischen Umgebung liegt.

Die Analyse der Background- und Statusvariablen sowie der Grundeinstellungen deutet insgesamt gesehen auf einen erstaunlich geringen Einfluß der politischen Vorsozialisation und der Statussicherheit auf den Prozeß der parlamentarischen Sozialisation. Wir sehen darin einen weiteren Hinweis auf die Bedeutung der parlamentarischen Organisation für die differenzierende Wirkung der parlamentarischen Sozialisation und damit auf die Bedeutung der parlamentarischen Subkultur. Es scheint ferner deshalb unerläßlich, in Zukunft das Studium von organisatorischen Subkulturen stärker auf Daten über die informellen Strukturen der Organisation zu konzentrieren.

Das Ergebnis der Untersuchung schließt jedoch nicht aus, daß einzelne Background- und Statusvariablen oder Grundeinstellungen einen konstanten, zunehmenden oder abnehmenden Einfluß auf die politischen Einstellungen der Neuparlamentarier während ihrer ersten Legislaturperiode haben. Im Folgenden wollen wir uns deshalb der Analyse von Beziehungen zwischen einzelnen Variablen zuwenden.

Zunächst ist festzustellen, daß unter den Grundeinstellungen praktisch nur die Zielorientierung und das Gesellschaftsbild einen nennenswerten Einfluß auf die Einstellungen des Neuparlamentariers bei Beginn seiner parlamentarischen Arbeit hatten. In fast allen Fällen reduziert sich der Einfluß der Grundeinstellungen im Laufe der ersten Legislaturperiode auf ein nicht mehr signifikantes Maß. In nur einem Fall liegt ein relativ konstanter, hoher und signifikanter Einfluß vor:

— Neuparlamentarier mit einer starken Zielorientierung sind und bleiben mit den Kontrollmöglichkeiten des Abgeordneten gegenüber der Regierung besonders unzufrieden.

Einen zunehmenden (oder überhaupt erst entstehenden) Einfluß von Grundeinstellungen registrieren wir in fünf Fällen:

— Neuparlamentarier mit größerer Egostärke korrigieren besonders häufig das Motiv für ihre Kandidatur nachträglich in Richtung auf das „eigene Interesse";
— Neuparlamentarier, die die Kenntnis des Einflußbereichs wichtiger Personen für bedeutsamer halten als Sachkenntnisse, verlieren leichter ihre Skepsis gegenüber dem Lobbyismus als ihre „technokratischen" Kollegen;
— Neuparlamentarier mit besonders hoher Kontrollmotivation ändern nach ihren ersten parlamentarischen Erfahrungen besonders stark ihre Einstellung zur Frage der Öffentlichkeit von Ausschußsitzungen. Sie entscheiden nunmehr gegen die Öffentlichkeit der Sitzungen;
— Neuparlamentarier mit einem Klassengesellschaftsbild sind nach den ersten Parlamentsjahren besonders stark davon überzeugt, daß es unter den Abgeordneten egalitär (!) zugeht;
— Neuparlamentarier, die die Politik nicht zu ihrem Beruf machen wollen, verlieren am meisten an Widerstand gegen ihre Entsendung in den Petitionsausschuß.

Dieser teils recht beachtliche Einfluß der Grundeinstellungen auf die parlamentarische Sozialisation verdient zunächst deshalb unsere Aufmerksamkeit, weil er vor dem Hintergrund der vorherrschenden Einflußnivellierung das *„zweite Gesicht"* der parlamentarischen Sozialisation beleuchtet: das des Konsistenzdruckes durch die tägliche Kommunikation. Die Glaubwürdigkeit gegenüber den Kollegen verlangt eine allmähliche Justierung gewisser politischer Einstellungen entlang den Grundeinstellungen. Das zeigt sich hier sowohl bei der Motivkorrektur als auch bei den Einstellungsänderungen gegenüber dem Lobbyismus. Entsprechend ist die Justierung des Anspruchsniveaus in Bezug auf die Ausschußentsendung bei den Politamateuren zu interpretieren.
In diesem Zusammenhang inkonsistent und zudem kontraintuitiv erscheint die Tatsache, daß sich ausgerechnet Neuparlamentarier mit einem Klassengesellschaftsbild nach und nach davon überzeugen lassen, daß es im Parlament keine informelle hierarchische Gruppierungen von Abgeordneten gibt. Man möchte zu gerne glauben, daß sich der Computer hier im Vorzeichen geirrt hat. Eine nähere Prüfung zeigt jedoch, daß diese Einstellungsänderung nahezu vollständig in der SPD-Fraktion erfolgen — daß es sich also um eine fraktionsspezifische Sozialisation handelt. Es ist gut möglich, daß durch sie das Bewußtsein der Genossensolidarität geschärft wird mit der Folge, daß die innerparlamentarische Hierarchie nicht mehr so sehr als Machtgefälle, sondern als notwendige Arbeitsteilung empfunden wird. Dem zur Folge ist es gerade das Klassengesellschaftsbild, das die Egalität der

„Kampfgenossen“ untereinander fordert und, wo diese nicht möglich bzw. nicht vorhanden ist, eine entsprechende Ideologie stützt.
Weder die Nivellierungstendenz noch der Konsistenzdruck der parlamentarischen Sozialisation können erklären, weshalb gerade Neuparlamentarier mit starker Kontrollmotivation nach Sammlung ihrer ersten parlamentarischen Erfahrungen von der Forderung nach Öffentlichkeit der Ausschußsitzungen abrücken. Die Einstellungsänderungen dieser engagierten Regierungskontrolleure sollten besonders zu denken geben und stärken gewiß die Argumentation der Gegner öffentlicher Ausschußberatungen.
Der Einfluß der Statusvariablen auf die Einstellungsänderungen der Neuparlamentarier hält sich ebenso wie der Einfluß der Grundeinstellungen in engen Grenzen. Erwähnenswert erscheint uns hier eine gewisse Wirkung der Statusdifferenz zwischen Angestellten und Beamten sowie zwischen Neuparlamentariern, die ihre Arbeitsbedingungen durch außerparlamentarische Institutionen aufbessern können und solchen, denen das nicht möglich ist:

— Beamte sind und bleiben häufiger als Angestellte der Überzeugung, daß die Kontrollmöglichkeiten des Abgeordneten gegenüber der Regierung ausreichen;
— Eine anfängliche Neigung der Angestellten, die Angewiesenheit auf den Sachverstand der Bürokratie deutlicher zu sehen als ihre beamteten Parlamentarier-Kollegen, wird im Laufe der parlamentarischen Sozialisation nivelliert. Dafür tritt nunmehr ein Unterschied in der Wertung der Abhängigkeit hervor: Die Beamten halten das Problem für weniger relevant als die Angestellten unter den Neuparlamentariern;
— Die Beamten unter den Neuparlamentariern gewinnen im Vergleich zu ihren Kollegen immer mehr die Überzeugung, daß es in der Bundesrepublik keinen gesellschaftlichen Immobilismus gebe — daß jedenfalls nicht das Berufsbeamtentum dafür verantwortlich zu machen sei.

Es scheint so, daß die Wirkung des hier analysierten Statusunterschiedes auf den statuspolitischen Bereich begrenzt bleibt, dort aber deutlich hervortritt. Besonders wird davon das Problem der institutionellen Abgrenzung des Parlamentes gegenüber der Regierungsbürokratie berührt, das die Beamten unter den Parlamentariern offenbar nicht als so dringlich empfinden oder empfinden wollen wie die Angestellten unter ihnen.
Eine relativ konsistente, möglicherweise auch konservativ zu nennende Richtung verleiht der Status der Sozialisation desjenigen Neuparlamentariers, der seine Arbeitsbedingungen außerparlamentarisch aufbessern kann. Im Vergleich zu seinen Kollegen stellen wir bei ihm fest, daß er

— weder bei Beginn seiner parlamentarischen Tätigkeit noch drei Jahre später etwas gegen seine Entsendung in den Petitionsausschuß hat;
— die Klagen von außerparlamentarischen Gruppen über eine mangelnde Berücksichtigung ihrer Vorstellungen in staatlichen Instanzen zunehmend für unberechtigt hält;
— gegen den Lobbyismus immer weniger einzuwenden hat;
— zunehmend die Überzeugung gewinnt, der Informationsvorsprung der staatlichen Bürokratie gegenüber dem Parlamentarier sei unerheblich oder zumindest unvermeidlich.

Wenn man bedenkt, daß dieser Neuparlamentarier unabhängiger ist als sein Kollege [28], der sich mit den Dienstleistungen der parlamentarischen Institutionen begnügen muß, würde man zunächst eher eine gegenteilige Meinungsbildung erwarten. Indessen müssen wir davon ausgehen, daß die Mehrheit in der hier vorgeführten Gruppe die zusätzlichen Hilfsdienste nur als Mitglieder einer Gewerkschaft oder eines Verbandes erhalten, und daß bei ihnen deshalb eine höhere „Systemintegration“ unterstellt werden muß.
Bei den Backgroundvariablen stechen nach den vorangegangenen Analysen erwartungsgemäß die Partei- und die Religionszugehörigkeit hervor. Während wir hinsichtlich der Parteizugehörigkeit drei fortwährende, zwei im Laufe der parlamentarischen Sozialisation nivellierte und zwei neu erzeugte Korrelationen entdecken und daraus auf einen relativ konstanten Einfluß der Partei schließen können, nimmt der Einfluß der Religionszugehörigkeit bei zwei Nivellierungen und vier erzeugten Korrelationen offenbar zu.
Im Vergleich zu ihren sozialdemokratischen Kollegen sind und bleiben die Neuparlamentarier bei der CDU/CSU eher der Auffassung, daß

— politisch gut informierte Personen gerade auch in der Presse und in gesellschaftlichen Organisationen zu finden sind;
— es keinen Immobilismus in der Bundesrepublik gebe, daß jedenfalls nicht das Berufsbeamtentum dafür verantwortlich zu machen sei;
— die Chancen innerhalb unvermeidlicher Grenzen der Chancengleichheit nicht ungleich verteilt seien.

Die parlamentarische Sozialisation nivelliert die anfänglichen Auffassungsunterschiede zwischen den christdemokratischen und sozialdemokratischen Neuparlamentariern hinsichtlich

28 Apel, . . . a. a. O.

— der Berechtigung von Klagen außerparlamentarischer Gruppen über die mangelnde Berücksichtigung ihrer Vorstellungen durch die staatlichen Instanzen;
— der Notwendigkeit der Parlamentsreform.

Dem gegenüber entstehen erst im Laufe der Parlamentsarbeit die folgenden Auffassungsunterschiede zwischen den Parteien:

— Neuparlamentarier bei der CDU/CSU gewinnen zunehmend die Überzeugung, daß es für die Opposition schwieriger sei, wichtige Informationen zu erhalten, als für die Regierungsfraktionen. Ihre sozialdemokratischen Kollegen ändern ihre Meinung in entgegengesetzter Richtung;
— daß sie auf den Sachverstand der Bürokratie angewiesen seien, glauben im Gegensatz zu den Neuparlamentariern bei der SPD diejenigen bei der CDU/CSU immer weniger .

Wie man sieht, werden grundlegende Auffassungsunterschiede zwischen den Parteien von der parlamentarischen Sozialisation nicht berührt. Die Nivellierung der Meinungen zu den Klagen außerparlamentarischer Gruppen muß wohl im Zusammenhang mit der ersten sozial-liberalen Regierung und mit dem sogenannten Programm der inneren Reformen gesehen werden, durch das in den Augen der Parlamentarier gerade diese Klagen gegenstandslos geworden sein könnten. Erstaunlich ist die parteipolitische Nivellierung des Willens zu einer Parlamentsreform. Die zentrifugale Kraft der parlamentarischen Sozialisation — soweit sie in der Entstehung von Meinungsunterschieden zu den Informationschancen und zu dem Einfluß der Ministerialbürokratie deutlich wird — dürfte ausschließlich auf den Oppositionseffekt zurückzuführen sein.

Bei den Religionsgruppen findet die parlamentarische Sozialisation einen Ansatzpunkt für ihre nivellierende Kraft zunächst in zwei „Vorurteilen“:

— Die katholischen Neuparlamentarier waren vor Aufnahme ihrer parlamentarischen Arbeit viel mehr als ihre protestantischen Kollegen davon überzeugt, daß der Einfluß der Bürokratie auf das Parlament überschätzt werde. Die parlamentarischen Erfahrungen lehren sie jedoch ebenso die Forderung nach einer Erhöhung des Einflusses der Abgeordneten zu erheben wie ihre protestantischen Kollegen;
— Die protestantischen Neuparlamentarier hielten zu Beginn ihrer parlamentarischen Arbeit die Klagen außerparlamentarischer Gruppen dar-

über, daß ihre Vorstellungen von den staatlichen Instanzen zu wenig berücksichtigt würden, viel häufiger für berechtigt als ihre katholischen Kollegen. Der parlamentarische Alltag scheint ihnen den Eindruck zu vermitteln, daß sie hierin irren.

Die zentrifugale Kraft der parlamentarischen Sozialisation macht sich bei den Religionsgruppen in der Erzeugung der folgenden Korrelationen bemerkbar:

— Katholische Neuparlamentarier finden sich im Laufe ihrer ersten parlamentarischen Erfahrungen sehr viel leichter als die Protestanten damit ab, daß die Ministerialbürokratie einen Informationsvorsprung gegenüber den Abgeordneten hat;
— ebenso gewöhnen sich die Katholiken sehr viel schneller an die Sprachregelung, wonach der Abgeordnete grundsätzlich aktiv wird, wenn er durch die Presse auf einen Mißstand aufmerksam gemacht wird;
— die protestantischen Neuparlamentarier finden sich besonders rasch mit der bestehenden Praxis der Haushaltskontrolle ab,
— und sie korrigieren ihre ursprüngliche Absicht, Politik zu ihrem Beruf zu machen, eher zugunsten einer skeptischen Einstellung als das ihre katholischen Kollegen tun.

Was hier als ausschließlicher Einfluß der Religionszugehörigkeit erscheint, fällt wegen der hohen Korrelationen zwischen Partei- und Religionszugehörigkeit zu einem guten Teil auf erstere zurück. Dennoch überragt der Einfluß der Religionszugehörigkeit. Eine Erklärung für dieses Phänomen sehen wir vor allem darin, daß die katholische Vorsozialisation stärker auf Autoritätsglauben gerichtet ist als die protestantische und daß der katholische Politiker deshalb zunächst von der Richtigkeit der vorgefundenen Einflußmuster mehr überzeugt ist als der Protestant, der den Institutionen eher in einer abwartend-kritischen Haltung gegenübersteht. Sobald sie jedoch Parlamentarier werden, haben sie sich von ihren unterschiedlichen Ausgangspunkten allmählich in ein und dieselbe Rolle einzufügen. In diesem Sozialisationsprozeß prägt teilweise die Rolle die Einstellungen — in diesem Fall findet eine Nivellierung statt — teilweise wird aber auch die Rolle durch die Grundeinstellungen geprägt.
Eine Prägung durch die Parlamentarierrolle sehen wir darin, daß der Katholik von seiner „versöhnlicheren" Einstellung gegenüber der Bürokratie, der Protestant von seinen Sympathien für die Parlamentskritiker Abschied nimmt. Beide internalisieren das für die Institution Parlament lebenswich-

tige Parlamentarierinteresse an repräsentativer Selbstdarstellung und an Macht gegenüber der Ministerialbürokratie. Jenseits dieser Anpassung trennen sich jedoch die Wege der beiden Gruppen: Während der Katholik eher dazu neigt, in die Rolle eines pragmatischen Vollblutpolitikers hineinzuwachsen, der machtbewußt ist, sich bei den Informationsproblemen nicht allzu lange aufhält und sich auch an die parlamentarischen Sprachregelungen schnell gewöhnt, geht der Protestant zwar auf die Rollenforderungen ein, doch erhält er sich eher eine Art intellektueller Distanz zur Rolle dadurch, daß er sie nicht zu seinem Beruf machen will.

Manche Erklärung, die hier ex post für die Wechselwirkung der parlamentarischen Sozialisation und des Backgrounds, des Status und der Grundeinstellungen von Neuparlamentariern in der Detailanalyse versucht worden ist, wird auf Widerspruch stoßen. Es wäre gut, wenn dadurch eine Diskussion über relevante Backgroundvariablen in Gang kommen könnte, die zu besseren Hypothesen führt und damit späteren Untersuchungen über die Sozialisation von Neulingen in Organisation zugute kämen. Uns ging es hier nur darum, ein ungefähres Bild von der Größe und von der Art des Einflusses von Background-, Statusvariablen und Grundeinstellungen auf die Sozialisation von Neuparlamentariern zu vermitteln. Dabei ist deutlich geworden, daß die Einstellungen der Neuparlamentarier, die über die SPD in den Deutschen Bundestag einrücken, weit weniger verfestigt sind als die Einstellungen der CDU/CSU-Neuparlamentarier. Die Ursache dafür liegt sowohl in der Rekrutierung der Parteien (Präferenz der flexibleren Protestanten für die Sozial-, der starreren Katholiken für die Christdemokraten) als auch im Karriereweg (Christdemokraten haben politische Erfahrungen häufiger als Sozialdemokraten schon auf Landes- und Bundesebene sammeln können, bevor sie für die Bundestagskandidatur nominiert werden). Im übrigen spielt die präparlamentarische Sozialisation keine Rolle bei der Veränderung politischer Einstellungen im Parlament. Das gleiche gilt in Bezug auf die Statussicherheit.

In der Variation, die das Ausmaß der parlamentarischen Sozialisation näherungsweise wiedergibt, teilen sich die verschiedenen Background- und Einstellungs- sowie Statusgruppen nahezu gleichmäßig. Wir schließen daraus, daß die geringere Verfestigung der vorparlamentarisch gebildeten Meinungen bei den protestantischen und bei den politisch weniger erfahrenen Neuparlamentariern nicht zu einer leichteren „Anfälligkeit“ gegenüber dem Druck der parlamentarischen Sozialisation führt, obwohl grundsätzlich ein signifikanter Zusammenhang zwischen der in der Fluktuation ausgedrückten Meinungsverfestigung einerseits und der „Anfälligkeit“ gegenüber dem Sozialisationsdruck besteht. Daß weder die protestantischen noch die ledig-

lich auf Orts- und Kreisebene geschulter Neuparlamentarier sich in dieses globale Analyseergebnis fügen, legt den Verdacht nahe, daß bei diesen Gruppen die „Einstellungslosigkeit“ selbst zu einer Art Einstellung geworden ist. Zwar sind sie schnell mit einer nicht sehr verfestigten Meinung bei der Hand, doch lassen sie sich deshalb nicht leichter beeinflussen als ihre Komplementärgruppen.
Diese unterschiedliche psychische Konditionierung legt in der Folge die Vermutung nahe, daß die Gruppen alternative Wege in der Anpassung an den parlamentarischen Alltag beschreiten. Nach der Detailanalyse im letzten Teil unserer Ursachenanalyse gewinnen wir den Eindruck, daß diese Annahme zu recht besteht.

5. Zusammenfassung

Die Erklärungsversuche zur parlamentarischen Sozialisation gehen von einem komplexen Modell des Anpassungsverhaltens aus. Die wichtigsten Merkmale des Modells sind der Anpassungsdruck, der durch die Kooperation im Parlament entsteht, und die Anpassungsdisposition, die der neugewählte Parlamentarier auf Grund seiner vorparlamentarischen Sozialisation mitbringt. Der Anpassungsdruck wird durch ein Sanktionssystem erzeugt, dem drei Sanktionen zugrundeliegen: Die Zuteilung von Befugnissen durch die hierarchische Kooperation; die Zuteilung von Informationen durch die informelle Kooperation (Gruppenbildung); die Zuteilung von Einflußchancen durch die Entscheidungsregeln. Ein weiterer wichtiger Faktor bei der Vermittlung der parlamentarischen Subkultur ist die Kommunikation unter den Parlamentariern. Sie erzeugt über den Zwang zur Darstellung eines konsistenten politischen Persönlichkeitsbildes ein komplementäres Anpassungsverhalten in Einstellungsbereichen, die nicht sanktioniert werden. Die Anpassungsdisposition eines Neuparlamentariers kann mit seiner Statussicherheit, mit seiner psychischen Kondition und mit seinen Einstellungen, die er schon vor Eintritt in das Parlament gewonnen hat, variieren.
Der Versuch, die Wirkung des Sanktionssystems auf die Vermittlung von uns festgestellter Einstellungsmerkmale der parlamentarischen Subkultur quantitativ abzuschätzen, konnte bei der vorliegenden Untersuchung infolge fehlender Beobachtungsdaten über die Stellung, die die einzelnen Neuparlamentarier während ihrer ersten Legislaturperiode im Parlament eingenommen haben, nicht unternommen werden. In der Analyse dieses Teils der

Untersuchung haben wir uns darauf beschränkt, auf dem Umweg über die Perzeption der Hierarchie und des Informationsproblems durch den Parlamentarier Evidenz für die Wirkung des Sanktionssystems zu schaffen. Dabei sind wir zu der Vermutung gekommen, daß die einzelnen Sanktionen unterschiedliche typische Einstellungen der parlamentarischen Subkultur vermitteln. Ferner konnte einige Evidenz für die sozialisierende Wirkung der Kommunikation geschaffen werden.

Bei der quantitativen Analyse einer Reihe von Background-, Statusvariablen und einiger Grundeinstellungen erwiesen sich die Einflüsse der Statussicherheit und der Grundeinstellungen als weitgehend irrelevant für die allgemeine Anpassungsdisposition der Neuparlamentarier. Lediglich bei einigen Backgroundvariablen konnte ein Zusammenhang mit der allgemeinen Disposition zur Anpassung an oder zum Widerstand gegen die parlamentarische Subkultur festgestellt werden. Wichtigstes Ergebnis: Die Einstellungen von Neuparlamentariern mit katholischem Erziehungshintergrund, mit Erfahrungen in Parteiämtern auf Landes- und Bundesebene und mit Erfahrungen in den Jugendorganisationen ihrer Parteien sind stärker verfestigt als die Einstellungen ihrer Komplementärgruppen. Die von daher zu vermutende günstigere Anpassungsdisposition der Komplementärgruppen schlägt jedoch nur bei den protestantischen Neuparlamentariern auf eine tatsächlich höhere Anpassung an die parlamentarische Subkultur durch, nach dem Ergebnis der Analyse jedoch nicht signifikant und relativ schwach. Wir müssen also annehmen, daß die generelle Anpassungsbereitschaft an die parlamentarische Subkultur von der Vorsozialisation und von der Statussicherheit nicht nennenswert beeinflußt wird. Die nahezu vollständige Varianz der Variation, d. h. des unterschiedlichen Ausmaßes, in dem sich ein Neuparlamentarier in die Bedingungen der parlamentarischen Subkultur fügt, muß deshalb in der differenzierenden Wirkung des parlamentarischen Sanktions- und Persuasionssystems gesucht werden.

Neben der allgemeinen Anpassungsbereitschaft besteht jedoch eine Differenzierungsmöglichkeit der Abgeordneten auch hinsichtlich typischer Anpassungsmuster. Die Detailanalyse der wechselnden Wirkung von Vorsozialisation und Status auf einzelne Einstellungen zeigt bei den meisten Variablen keinen oder einen abnehmenden Einfluß. Dort, wo ein Einfluß sichtbar wird, erweist er sich regelmäßig als recht aufschlußreich für die von Grundeinstellungen und Statusinteressen gelenkte „individuelle" Rolle, die der Neuparlamentarier im Rahmen der globalen Rollenanforderungen der parlamentarischen Subkultur spielen lernt. So sehen wir unter anderem, daß das Statusbewußtsein des Beamten im Parlament einen politischen Solidaritätseffekt erzeugt und daß der Katholik eher für die Rolle des pragmatischen

Vollblutparlamentariers taugt, der Protestant dagegen Distanz zu wahren versucht.

Wenn auch die generelle Anpassungsbereitschaft kaum mit der Vorsozialisation und mit der Statussicherheit variiert, so zeigt doch die unterschiedliche Prägung der Parlamentarierrollen durch die jeweilige Vorsozialisation und durch den Satus, daß die Rekrutierung auf die parlamentarische Subkultur und auf die parlamentsrelevanten Einstellungen der Parlamentarier nicht ohne Folgen bleibt. Gleichwohl muß der Kern der Ursachen für die Ausprägung und vor allem für den Bestand der im vorigen Kapitel beschriebenen parlamentarischen Subkultur im parlamentsinternen Sozialisationssystem vermutet werden. Weitere Untersuchungen zur parlamentarischen Sozialisation und Bemühungen um eine Parlamentsreform sollten deshalb vor allem diesen Ansatzpunkt wählen.

III. Bürokratie im Parlament

1. Vorbemerkung

Der Analyse von parlamentarischer Subkultur und Sozialisation hätte es wohl kaum bedurft, um lediglich die Diskrepanz zwischen der klassischen Parlamentarismustheorie und der modernen Parlamentspraxis glaubhaft zu machen. Für jedermann sichtbar haben vor allem bürokratische Arbeitsformen mehr und mehr nun auch im Parlament Einzug gefunden. Die Kennzeichnung dieses Wandels als einer Hinwendung vom „Redeparlament" zum „Arbeitsparlament"[1] darf darüber nicht vergessen machen, daß es vor allem seine in der Abgeordnetenwahl und in der Öffentlichkeit der Entscheidungsfindung festgelegte Bindung an das Volk sind, die dem Parlament das Lebensrecht auch gegenüber einer gewählten Regierung geben — ein möglicherweise veralteter und auch kritisierter, bisher in der Parlamentarismustheorie jedoch noch nicht revidierter Standpunkt[2]. Von ihm aus läßt sich das folgende kritische Szenario eines „bürokratischen Parlaments" entwickeln, dessen Kooperationsstruktur eher hierarchisch und ausdifferenziert denn egalitär und integriert; dessen Rekrutierung eher durch Stabilität und Sozialisation als durch Fluktuation und Delegation; dessen Trans-

1 Zur Terminologie siehe *Winfried Steffani*, Amerikanischer Kongreß und Deutscher Bundestag — ein Vergleich, in: *Kurt Kluxen* (Hrg.), Parlamentarismus, Köln 1967, S. 230—248, hier S. 236. Einen Überblick über verschiedene Modellvorstellungen zum Parlament unter Bezug auf die deutsche Literatur gibt Parlamentsreform, Materialien Nr. 11, Juni 1969, der wissenschaftlichen Abteilung des Deutschen Bundestages. Eine Beschreibung der historischen Entwicklung von Vertretungskörperschaften parlamentarischer Art gibt neuerdings *Nelson W. Polsby*, Legislatures, in: The Handbook of Political Science, Vol. 5, Reading (Mass.) 1975.

2 Vgl. *Jürgen Habermas*, Strukturwandel der Öffentlichkeit, Neuwied 1965. Kritisch zu der skizzierten Einstellung: *Ulrich Scheuner*, Das repräsentative Prinzip in der modernen Demokratie, in *Festschrift für Hans Huber*, Bern 1961, S. 222—246. Konkret auf den Deutschen Bundestag bezogen: *Michael Hereth*, Die Öffentlichkeitsfunktion des Parlaments, in: Politische Vierteljahresschrift, 11/1 (1970), S. 29—45.

parenz eher mit Geheimhaltung als durch Öffentlichkeit und dessen Tätigkeitstypus eher mit Spezialisierung als mit Generalisierung charakterisiert ist:

— Mit der Bürokratisierung der Kooperation von Abgeordneten im Parlament steigt deren Professionalisierung, und mit der Professionalisierung vergrößert sich die Distanz zwischen Wählern und Gewählten. Der einzelne Parlamentarier hat immer größere Schwierigkeiten, dem Wähler detaillierte Entscheidungen mit dem in ihnen verbürgten komplizierten Kompromiß widerstreitender Interessen verständlich zu machen. So zieht er in der öffentlichen Selbstdarstellung die Rolle eines Advokaten unverbindlicher Parteiparolen bzw. verbindlicher Regierungspolitik vor. Die Kontrolleure geraten seitens der Wählerschaft außer Kontrolle.
— Mit der Bürokratisierung bilden sich im Parlament, wie in jeder anderen Organisation auch, immer mehr formelle und informelle Verhaltensregeln, mit denen zunächst die Ausdrucksformen der Abgeordneten reglementiert und schließlich auch ihre Einstellungen beeinflußt werden können. Hierarchische Strukturen und Ausschuß- bzw. Arbeitsgruppengrenzen legen fest, worüber wer wann etwas zu sagen hat, informelle Gruppenzugehörigkeit um den Preis garantierter Loyalität sichert wichtige Informationen oder schließt davon aus. Die Gemeinschaft derjeniger, die das ganze deutsche Volk vertreten [3], bildet Machtstrukturen aus, in denen einige viel und viele wenig zu sagen haben.

Trifft dieses Szenario einer auf effektive Bearbeitung relativ komplexer Probleme zugeschnittenen Zusammenarbeit von einem halben Tausend Menschen auf das moderne Parlament zu? Ist die skizzierte Entwicklung unvermeidlich und ist sie mit den Prinzipien unserer repräsentativen Demokratie vereinbar, wonach jeder Bürger ein gleiches Recht auf Repräsentiertheit hat? Müssen wir nicht vielmehr annehmen, daß schon der grundlegende Unterschied zwischen den Rekrutierungssystemen der parlamentarischen und der formalbürokratischen Organisation (grundsätzliche Weisungsungebundenheit des Personals, regelmäßige und hohe Fluktuation) der Entwicklung eines bürokratischen Parlaments im Wege steht? Diese Fragen scheinen uns bedeutsam genug dafür, sie unter dem Stichwort „Bürokratie im Parlament" einer eingehenden Prüfung anhand unserer Analyseergebnisse und weiteren Materials aus der Parlamentsforschung zu unterziehen.

3 Grundgesetz der Bundesrepublik Deutschland, Artikel 38/1 Satz 2.

Eine Entscheidung in den hier aufgeworfenen Fragen setzt vor allen Dingen die Kenntnis zweier Sachverhalte voraus: Der eine betrifft die Beziehung zwischen Wählern und Gewählten. Dabei geht es um die Wirksamkeit der Wählerbindung des Abgeordneten, genauer: um den Grad, in dem seine Einstellungen für die Erfordernisse einer bürokratischen Kooperation zur Disposition stehen. Der zweite Sachverhalt betrifft den Einfluß der parlamentarischen Organisation auf den Gewählten. Hier ist vor allem danach zu fragen, ob die parlamentarische Organisation die Integration des neu gewählten Parlamentariers in eine bürokratische Kooperation auch notfalls gegen dessen Widerstand wirksam durchsetzen kann.
Im Folgenden sollen insbesondere bisher vorliegende Ergebnisse quantitativer Analysen aus der Parlamentsforschung für eine Antwort auf diese Frage genutzt werden. Die überwiegende Nutzung von Forschungsmaterial aus den USA erscheint bei aller Verschiedenheit der politischen Systeme in Bezug auf die vorliegende Fragestellung gerechtfertigt, weil die Bürokratisierung der *„Legislatures“* dort wie des Bundestages hier eher graduelle denn prinzipielle Unterschiede aufweist.

2. Wähler und Gewählte

Repräsentation, wie sie vom Grundgesetz gemeint ist, fällt mit dem Organ Deutscher Bundestag definitorisch zusammen und gibt deshalb keinen unmittelbaren verfassungsrechtlichen Anhaltspunkt für eine kritische Bewertung oligarchischer Tendenzen innerhalb dieser Organisation. Nach den Ursachen des Mangels ist vermutlich in dem ständischen Vorbild vieler Repräsentativorgane zu suchen, d. h. in der Vorstellung, daß der Repräsentant in seinen Entscheidungen zwar formal frei, jedoch durch seine Erziehung und durch seinen gesamten sozialen Hintergrund in Denken und Handeln für den Wähler kalkulierbar sei [4]. Infolge der überragenden Bedeutung des Klassenkonfliktes und der sozialen Schichten war die „Berechenbarkeit“ eines Kandidaten (seiner Grundeinstellungen und politischen Ziele) auch zur Zeit der sogenannten Weltanschauungsparteien bis weit über die

4 Vgl. *Ludwig Bergsträsser,* Die Entwicklung des Parlamentarismus in Deutschland, Nachdruck in: *Parlamentarismus,* a. a. O., S. 138—160, sowie zur Repräsentationstheorie *A. H. Birch,* Representation, (Praeger, London), 1971.

Jahrhundertwende innerhalb gewisser Grenzen gegeben. Heute nivellieren die Unterschiede von Volksparteien, die sich um die Nähe zur politischen Mitte streiten, sich in der Allgemeinheit ihrer Wahlkampfaussagen kaum noch unterscheiden und ihre Kandidaten nur noch im lokalen Bezugsrahmen so konkrete wie unstrittige Ziele nennen lassen. Der Kandidat solcher Parteien scheint schon deshalb in seinem späteren Verhalten als Repräsentant kaum vorausberechenbar, weil er mit Rücksicht auf die Partei keine konkreten individuellen Wahlkampfaussagen machen soll. Andere Faktoren wie z. B. die 50 Prozent Listenwahl im deutschen Mischwahlsystem, verschärfen die genannte Tendenz, wonach der Wähler zwar über die parteimäßige Zusammensetzung des Bundestages, jedoch allenfalls noch spurenweise über die Auswahl jener Gewissen entscheidet, denen die Parlamentarier laut Grundgsetz verantwortlich sein sollen.

Auch empirische Untersuchungen bestätigen inzwischen die Ablösung des Kandidaten von seinen Wählern. Samuel H. Barnes und Barbara Farah zum Beispiel haben unmittelbar nach den Wahlen zur italienischen Deputiertenkammer im Jahre 1968 und nach der Bundestagswahl 1969 ein repräsentatives Sample von Parlamentariern befragt und das Ergebnis mit einer Repräsentativbefragung der Wählerschaft verglichen [5]. Aus ihrer Analyse schließen sie, „was immer die Verbindung zwischen nationalen Repräsentanten und dem lokalen politischen System sei, die Ähnlichkeit von Meinungen gehört nicht dazu“ [6]. Auch eine Untersuchung verschiedener Untergruppen von Abgeordneten hat keine anderen Resultate geliefert, so z. B. die Wählerbezogenheit von Abgeordneten, die besonders viel Zeit in ihrem Wahlkreis verbringen, von Abgeordneten mit längerer lokaler Amtserfahrung oder von Abgeordneten, die angeben, sie würden die Meinungen ihrer Wähler für besonders wichtig halten [7].

Eine ähnliche Divergenz von Wähler- und Parlamentarierauffassungen fanden die Amerikaner James Prothro und Charles Grigg bei der Untersuchung

5 *Samuel H. Barnes/Barbara Farah*, Representanti e circoscrizioni in Italia e in Germania, in: Rivista Italiana Di Scienza Politica 2/1973, S. 334—354.

6 a. a. O., S. 456 (Summary).

7 Vgl. in diesem Zusammenhang die differenzierenden Aussagen der qualitativen Analyse von *David R. Mayhew*, Congress. The Electoral Connection. New Haven/London 1974, und neuerdings *Richard F. Fenno*, Congressmen In Their Constituencies: An Exploration, Paper presented to the Annual Meeting of the American Political Science Association, San Francisco, Sept. 5, 1975.

von Einstellungen zu Grundprinzipien der Demokratie [8]. Zwar zeigte sich eine sehr hohe Übereinstimmung (etwa 90 Prozent) hinsichtlich der allgemeinsten Formulierungen zu den Prinzipien (Demokratie; Mehrheitsregel; Minderheitsrechte). In dem Maße jedoch, in dem diese Prinzipien konkretisiert wurden, gingen die Auffassungen zwischen Wählerschaft und Parlamentariern auseinander. Vor allem weniger gebildeten Schichten gelingt die konkrete Anwendung der Prinzipien auf politische Alltagsentscheidungen nicht [9].

Die Loyalität des Parlamentariers gegenüber seinem eigenen Gewissen kann indessen selbst dann nicht beruhigen, wenn dieses Gewissen durch einen durchschnittlich höheren Bildungsstand hinsichtlich formal-demokratischer Prinzipien stärker geschärft ist als bei seinen Wählern, und wenn dieser Vorteil um den Preis nahezu vollständiger Verschiedenheit auch hinsichtlich anderer politischer Grundauffassungen gegenüber der Wählerschaft erkauft werden muß. Wenn nicht nur die Wahl *nach* Persönlichkeiten, sondern auch die Wahl *von* Persönlichkeiten überhaupt einen Sinn haben soll, dann ist zumindest zu fordern, daß die Vorstellungen dieser Persönlichkeiten zu konkreten Grundlinien der Politik für die Wählerschaft erkennbar sein müssen. Gerade in dieser Beziehung halten uns jedoch weitere empirische Untersuchungen zu großer Skepsis an: Gibt es diese Grundvorstellungen auf Seiten der Bevölkerung überhaupt, werden sie auf dem langen Karriereweg des Politikers bis zur Kandidatur für das Parlament entwickelt, obgleich sie im Interesse der einheitlichen Selbstdarstellung der Parteien unterdrückt werden sollen?

Die Erforschung der politischen Sozialisation, d. h. des Erlernens politisch relevanter Einstellungen und Verhaltensweisen, stand lange Zeit unter der Annahme, daß die wichtigsten politischen Attitüden in der Kindheit und in der frühen Jugend festgelegt würden [10]. Neuere Untersuchungen deuten eher darauf hin, daß die Formung des politischen Menschen keineswegs in

8 *James W. Prothro/Charles M. Grigg,* Fundamental Principles of Democracy: Bases of Agreement and Disagreement, in: Journal of Politics, Vol. 22 (1966), S. 276—294.

9 Die Autoren schließen daraus, daß Demokratie auch ohne die konkrete demokratische Einstellung bei der Mehrheit der Bürger möglich sei, sofern sich diese Mehrheit politisch apathisch verhalte.

10 So z. B. *Fred I. Greenstein,* Children and Politics, New Haven, 1965. *David Easton/Jack Dennis,* Children in the Political System. Origins of Political Legitimacy, New York 1969.

der Jugendphase abgeschlossen ist[11], und daß selbst politische Grundorientierungen aus der Kindheit keinen nennenswerten Einfluß auf die Einstellungen des Erwachsenen zu konkreten politischen Problemen haben — sofern solche überhaupt vorhanden sind[12]. Die Schlußfolgerungen hieraus müssen in besonderer Weise für die Prägung der Attitüden von Berufspolitikern gelten, die hinsichtlich ihres Einkommens und ihrer Karriere von der Politik und das heißt von den politischen Machtzentren abhängig sind[13].

11 Vgl. insbesondere *Kenneth Langton,* Political Socialization, New York 1969. Daß das Problem noch nicht ausdiskutiert ist, zeigt die Untersuchung von *Kent L. Tedin,* The Influence of Parents on the Political Attitudes of Adolescents, in: American Political Science Review, Vol. 68 (1974), S. 1579—1592.

12 Die politische Psychologie unterscheidet zwischen dem Primary Principle (während der Kindheit Erlerntes überdauert relativ stark) und dem Structuring Principle (Grundorientierungen, in der Kindheit erlernt, strukturieren das spätere Erlernen von Problembewußtsein). Auf das Primary Principle stützen sich vor allem die bekannten Thesen zur frühen Sozialisation des allgemeinen politischen Verhaltens wie z. B. demokratisch vs. autoritär, aktiv vs. apathisch. In dem hier diskutierten Zusammenhang interessiert mehr das Structuring Principle, das von *Donald D. Searing/Joel J. Schwartz/Alden E. Lind,* The Structuring Principle: Political Socialization and Belief System, in: American Political Science Review, Vol. 67 (1973), S. 415—432, einer eingehenden Analyse unterzogen worden ist. Die Autoren weisen nach, daß die in der Kindheit erlernten Basisorientierungen schon deshalb keinen Einfluß auf die politischen Forderungen oder auf die politische Unterstützung der Erwachsenen haben können, weil nicht einmal die Basisorientierungen der Erwachsenen das Erlernen spezifischen politischen Problembewußtseins strukturieren. In diese These der politischen Psychologie fügt sich nahtlos die Behauptung, daß der einzelne Wähler „selten genau weiß, was er will" — so *Lewis A. Dexter,* The Job of Congressman, in: *R. E. Wolfinger,* (ed.), Readings on Congress, Englewood Cliffs 1971, S. 69—89, 82 — oder auch daß die Wählerschaft in der Regel viel zu wenig informiert ist, als daß sie das Verhalten eines Abgeordneten sanktionieren könnte, so *Donald E. Stokes/Warren E. Miller,* Party Government and the Saliency of Congress, in: *R. E. Wolfinger* (ed.), Readings in American Political Behavior, Englewood Cliffs 1966, S. 82.

13 Daß dieser für Theorie und Praxis demokratischer Repräsentation so ungemein wichtige Gedanke von der politischen Theorie wie von der empirischen Forschung in den USA so lange unberücksichtigt blieb, erklärt sich zum Teil aus dem unerschütterlichen Glauben an die Relevanz und Stabilität der Einstellungen von Kandidaten für ihr späteres Verhalten im Repräsentantenhaus. Die psychologische Lerntheorie hat sich unter anderem deshalb nur schwer gegen diese irrige Überzeugung durchsetzen können, weil sie unter dem Stichwort politische Sozialisation allein auf die (abstrakte) Dimension der politischen Beteiligung angewandt worden ist. Beispiele hierfür sind *Heinz Eulau/W. Buchanan/L. C. Ferguson/J. C. Wahlke,* The Political Socialization of American State Legisla-

Von ihnen muß angenommen werden, daß sie Politik nicht nur zur Realisierung ihrer persönlichen Zielvorstellungen betreiben, sondern daß der Kompromißcharakter der Politik auf ihre Einstellungen zurückwirkt [14].
Es würde an dieser Stelle zu weit führen, wenn wir nach der Kontinuität und nach den relevanten Einflußfaktoren der Meinungsbildung von Berufspolitikern über deren ganzen Lebensweg hinweg fragen wollten [15]. Unsere Problemstellung betrifft nur die Mitbestimmungsfunktion der persönlichkeitsorientierten Wahl im repräsentativen System und insofern nur die Meinungsbildung des Parlamentariers von seiner Wahl an bis zum Ende seiner Amtszeit. In diesem Zusammenhang ist von besonderem Interesse, in welchem Ausmaß die gewählten Parlamentarier überhaupt politische Grundeinstellungen haben und wie stabil diese innerhalb der betreffenden Legislaturperiode sind. Wir erinnern an dieser Stelle an unsere Analyse politischer Grundeinstellungen in Kapitel II. Schon dort hatten wir festgestellt, daß eine Isolierung solcher Einstellungen auf Schwierigkeiten stoße, weil die Daten aus den beiden Befragungen kaum jene Konstanz aufwiesen,

tors, in: *John C. Wahlke/Heinz Eulau* (ed.), Legislative Behavior, Glencoe 1959, S. 305—312 und *Herbert Hirsch*, The Political Socialization of State Legislators: A Re-examination, in: *H. Hirsch/M. D. Hancock* (eds.), Comparative Legislative Systems, New York 1971, S. 98—106.

14 Am Beispiel der amerikanischen Bürgerrechts-Gesetzgebung konnte durch eine statistische Kausalanalyse nachgewiesen werden, daß nicht etwa die Einstellungen der Repräsentanten ihre Perzeption der Wählerinteressen bestimmen, sondern daß umgekehrt die Vorstellungen darüber, was das Wählerinteresse sei, die Einstellungen der Repräsentanten prägen. Das Abstimmungsverhalten der Abgeordneten erklärte sich zu 60 Prozent aus ihren Vorstellungen über die Wählerinteressen und zu weiteren 28 Prozent aus den eigenen Einstellungen zu den Bürgerrechtsgesetzen, insofern sie durch die Vorstellungen über die Wählerinteressen geprägt worden waren. Siehe *C. F. Cnudde/D. J. McCrone*, The Linkage between Constituency Attitudes and Congressional Voting Behavior, A Causal Model, in: American Political Science Review, Vol. 60 (1966), S. 66—72. Aus der Analyse läßt sich die Folgerung ziehen, daß sehr subjektive Kriterien das Abstimmungsverhalten bestimmen und jedenfalls nicht die Einstellungen der Abgeordneten, um derentwillen sie — einer weit verbreiteten Auffassung zur Folge — gewählt worden sind.

15 Vgl. ansatzweise dazu: *Dietrich Herzog*, Politische Karrieren, Opladen 1975. Siehe *ders*, Karrieren und politische Professionalisierung bei CDU/CSU, SPD und FDP, in: *Jürgen Dittberner/Rolf Ebinghausen* (Hrg.), Parteiensystem in der Legitimationskrise, Opladen 1973, S. 109—131; *ders.*, Politische Elitenselektion. Alte und neue Ansätze zur Analyse politischer Auswahlprozesse, in: Soziale Welt, Jg. 21—22 (1970/71), S. 131—145. Siehe auch Anm. 22, S. 113.

die für „Grundeinstellungen" vorauszusetzen sei. Tabelle III/1 gibt einen Überblick über die strengste Auslese von 10 aus den insgesamt 77 Variablen. Wie zu sehen, äußern zu den 10 aufgeführten Einstellungsbereichen im Durchschnitt ein knappes Drittel (30,3 Prozent) der im Abstand von drei Jahren zweimal befragten Neuparlamentarier entgegengesetzte Meinungen [16].

Was wählen die Wähler bei so viel Unbestimmtheit und Ungewißheit mit ihrer „Erststimme"? Sie wählen einen Kandidaten, der selbst zu grundlegenden politischen Problemen mit immerhin erheblicher Wahrscheinlichkeit gar keine durchdachte, sichere Meinung hat und der, wenn er sie dennoch hat, sie nicht öffentlich äußern soll. Sie wählen ferner einen Kandidaten, dessen zukünftige Meinungsbildung kaum noch aus seinem sozialen Hintergrund erschlossen werden kann [17]. Und sie wählen (deshalb) schließlich einen Kandidaten, dessen politische Vorstellungen allenfalls zufällig mit den ihren übereinstimmen, der sie mithin im engeren Sinne, d. h. durch seine soziale, psychische oder politische Individualität, gar nicht repräsentieren kann.

Das deutsche Mischwahlsystem liefert der sozialwissenschaftlichen Analyse eine Kontrollgruppe, durch die Vergleiche zwischen „Wahlkreiskandidaten"

16 Bei Schlußfolgerungen, die aus den Werten in Tabelle 1 gezogen werden, ist zu beachten, daß die Höhe der einzelnen Werte entscheidend von der Codierung abhängt bzw. davon, was als „entgegengesetzte" Meinung definiert wird. Durch die starke Reduktion der tatsächlich gegebenen Antworten auf die Ja/Nein- und auf die Entweder/Oder-Alternative mußten zum Teil recht viele Abgeordnete aus der Analyse ausgeschlossen bleiben, weil sie bei einer der beiden Befragungen oder bei beiden eine „mittlere" Antwort (weder-noch, unentschieden usw.) gegeben hatten. Bei einer Berücksichtigung auch dieser Antworten verbreitert sich der Code und damit auch die Anzahl der definitionsgemäß zugelassenen Meinungsänderungen. Allerdings steigt auch das N aus Gründen, die hier nicht näher dargelegt werden können, überproportional an und hebt damit einen erheblichen Teil des Code-Effektes wieder auf. — Ferner ist bei den Relationen zwischen den Werten der Einstellungsbereiche ein statistischer Fehler zu berücksichtigen.

17 In unserer Analyse des gegenseitigen Einflusses von Grundeinstellungen, sozialem Hintergrund, Statussicherheit und parlamentarischer Sozialisation sind wir zu dem Ergebnis gekommen, daß die Grundeinstellungen offenbar am stärksten in Elternhaus und Peergruppen geprägt werden, daß sie jedoch keinen spürbaren Einfluß auf die parlamentarische Sozialisation haben. Religionszugehörigkeit und (weit weniger) die Vorsozialisation in Parteiämtern haben einen Einfluß auf die Bereitschaft zur Anpassung auf die parlamentarische Subkultur. Vgl. in diesem Zusammenhang auch *C. F. Cnudde/D. J. McCrone,* The Linkage . . ., a. a. O.

und „Listenkandidaten" möglich werden. Bekanntlich weicht der Stimmenanteil, den ein Wahlkreiskandidat auf sich vereinigen kann, nur geringfügig von dem Anteil ab, den seine Partei im selben Wahlkreis über die

Tabelle III/1

Einstellungsbereiche und Meinungsänderungen(MÄ) von Neuparlamentariern im VI. Deutschen Bundestag zwischen 1969 und 1972

(Code: Ja/Nein. — „Unentschieden", „keine Antwort", Verweigerung und technische Ausfälle bei einer oder bei beiden Befragungen führten zur Eliminierung des betreffenden Abgeordneten aus der Analyse.)

Einstellungsbereiche	N	MÄ/N
Hat Ziele über das Parteiprogramm hinaus	48	.19
Sieht noch Klassenunterschiede in der BRD	43	.21
Abgeordnete sollten nur das Gemeinwohl verfolgen	44	.27
Was ist wichtiger für die Durchsetzung in der Politik: Sachkenntnis (1) oder Kenntnis des Einflußbereichs wichtiger Personen (2)	41	.27
Hält für möglich, den Ruf eines unbequemen Abgeordneten zu haben	27	.30
Für Öffentlichkeit der Ausschußberatungen	47	.32
Kontrollmöglichkeiten des einzelnen Abgeordneten gegenüber der Regierung sind erweiterungsbedürftig	35	.34
Strebt Politik als Beruf an	44	.36
In bestimmten Fragen sollte ein Volksentscheid wieder ermöglicht werden	44	.39
Setzt sich für eine bestimmte Bevölkerungsgruppe ein	47	.40

Durchschnitt der MÄ/N: 30,3 Prozent

(Zum Vergleich: Durchschnitt der MÄ/N von allen 77 Variablen: 47,3 Prozent.)

Zweitstimmen erhält. Die Wähler entscheiden also selbst dann überwiegend zwischen Parteien, wenn ihnen direkt wählbare Kandidaten vorgeführt werden [18]. Der Wahlkreiskandidat wird wegen der öffentlichen Selbstdarstellung seiner Partei gewählt, und auf diese Selbstdarstellung hat er angesichts der überwiegend zentral geführten Wahlkampfpublizistik und der Unverbindlichkeit allgemeiner Wahlkampfaussagen praktisch keinen Einfluß. Nicht er präsentiert sich der Wählerschaft, sondern er repräsentiert vor der Wählerschaft die Partei.

Genau darin unterscheidet er sich nur noch wenig vom Listenkandidaten, der ebenfalls seine Chance zur Erlangung eines Mandats nur der Partei (oder einer Interessengruppe) verdankt [19]. Wie dieser kann auch der Wahlkreiskandidat seine Loyalität nahezu ausschließlich der Partei zuwenden. Aus diesem Grund müssen wir damit rechnen, daß zwischen den Gruppen der Wahlkreiskandidaten und der Listenkandidaten selbst dann keine wesentlichen Unterschiede hinsichtlich der Repräsentation von Wählerpräferenzen bestehen, wenn man die Gruppe der „abgesicherten" Wahlkreiskandidaten unberücksichtigt läßt. In der vorliegenden Untersuchung wird diese Vermutung bestätigt: Bei den Fragen nach 6 politischen Grundeinstellungen und nach 33 Meinungen zu verschiedenen politischen Problemen ergibt sich nicht ein einziger signifikanter Unterschied zwischen den beiden Gruppen [20]. Die Analyse von 15 Daten zum sozialen Hintergrund und zur Statussicherheit der Kandidaten brachte nur zwei Unterschiede hervor: Listenkandidaten haben sich in der Parteihierarchie zumeist schon höher gedient und sie dürfen sich ihres Mandats sicherer wähnen [21].

Die Loyalität gegenüber der Partei scheint alle möglichen Unterschiede zwischen den beiden Kandidatengruppen zu verwischen. Eine unmittelbare Loyalität der direkt gewählten Abgeordneten gegenüber der Wählerschaft — Voraussetzung für eine Repräsentation im engeren Sinne — schlägt jedenfalls nicht auf ihre Einstellungen durch. Statt dessen wird Repräsentation

18 Siehe hierzu unter anderem *Heino Kaack*, Geschichte und Struktur des Deutschen Parteiensystems, Opladen 1971, S. 574 f.

19 Siehe *Bodo Zeuner*, Kandidatenaufstellung zur Bundestagswahl 1965, Den Haag, 1970, und *Heino Kaack*, Geschichte ..., a. a.O., S. 595—645.

20 Grundeinstellungen: Zielorientierung, Ich — Stärke, Kontrollmotivation, Rollenverständnis, Professionalisierung, Gesellschaftsbild. Die Meinungen betreffen Bereiche wie: Parlamentarismusverständnis, innerparlamentarische Kooperation, Informationsquellen, Gesetzesreformen, Parlamentsreform.

21 Die Einstufung von Wahlkreisen und Listenplätzen der befragten Abgeordneten nach Sicherheit wurde anhand der ex-ante-Einschätzung von *Heino Kaack*, Wer kommt in den Bundestag? Opladen 1969, S. 99—157, vorgenommen.

durch die Partei hergestellt. Die politische Repräsentation beschränkt sich deshalb, von der parteimäßigen Zusammensetzung des Bundestages abgesehen, auch nur auf jene Parteimitglieder, die an der Kandidatenaufstellung mitwirken. Wenn dennoch in einzelnen Wahlkreisen Kandidaten immer wieder einen Vorsprung oder sogar einen Sieg gegen die Zweitstimmenmehrheit einer anderen Partei erringen, so müssen die Ursachen in Faktoren wie „Prominenz“ und „Appeal“, jedenfalls kaum in einer Abweichung der politischen Argumentation des Kandidaten von der offiziellen Parteilinie gesucht werden.

Ungeachtet solcher gewiß nicht neuen Thesen über ihr Verhältnis zur Wählerschaft schätzen die Wahlkreisabgeordneten unter den befragten Neuparlamentariern die Bedeutung ihrer Wahlkreisarbeit sehr hoch ein (Tabelle III/2). Sind sie deshalb unrealistisch zu nennen? Eher ist anzunehmen, daß dieser Meinung eine realistische Einschätzung des Gewichtes örtlicher Parteiorganisationen bei der Kandidatenaufstellung und/oder die festgefügte Ideologie eines engen Verhältnisses zur Wählerschaft zugrunde liegt.

Tabelle III/2 *Einstellungen neuer Wahlkreisabgeordneter zur Wahlkreisarbeit*

Frage: Stimmen Sie neuen Abgeordneten zu, die die Kleinarbeit im Wahlkreis als eine Belastung empfinden, weil sie sie daran hindert, in Bonn an der Lösung wichtiger Aufgaben mitzuwirken, die unser ganzes Land betreffen?

	1969		1972	
N	ja	nein	ja	nein
22	1	21	0	22
	$chi^2 = 19{,}0$ d.f. = 1		$chi^2 = 22{,}0$ d.f. = 1	

Ein weiterer möglicher Grund für besondere Bemühungen um den Wahlkreis läge dann vor, wenn ein überragender Wahlsieg in einem Wahlkreis auch die Durchsetzungschancen des Kandidaten in Bonn erhöhen würde. Daran glauben anfangs immerhin 58 Prozent der befragten Neuparlamentarier. Nach drei Jahren schrumpft diese Mehrheit jedoch auf unter 50 Prozent zusammen (Tabelle III/3). Eine zunächst überwiegend optimistische Einschätzung der Wahlkreisabgeordneten in dieser Frage erweist sich nach ihren ersten parlamentarischen Erfahrungen offenbar als korrekturbedürftig. So scheint nicht nur die einstellungsmäßige Bindung des Abgeordneten an die breite Wählerschaft, sondern auch die politische Wirkung einer in Wählerstimmen sich manifestierenden breiten Gefolgschaft nicht ohne weiteres zuzutreffen.

Tabelle III/3

Zusammenhang von Wahlkreiserfolg und Durchsetzungschancen aus der Sicht neuer Wahlkreis -und neuer Listenabgeordneter

Frage: Glauben Sie, daß man einen Wahlkreis fest in der Hand haben muß, um sich in Bonn durchsetzen zu können?

		Prozente			
		1969		1972	
	N	ja	nein	ja	nein
Wahlkreisabg.	22	73	27	50	50
Listenabg.	23	43	57	48	52
Zusammen	45	58	42	49	51
		$chi^2 = 3{,}9$		$chi^2 = 0{,}0$	
		Psi = .30		Psi = .00	
		d.f. = 2		d.f. = 2	

Es muß nun weiter danach gefragt werden, was mit diesen erstmalig gewählten Parlamentariern, was mit ihren erstaunlich ungefestigten politischen Grundeinstellungen und Meinungen während der parlamentarischen Arbeit geschieht, wenn die Partei in Gestalt des Fraktionsestablishments (und der Regierung) nach Loyalität, nach Fraktionsdisziplin verlangt, und wenn die bürokratischen Rollenperspektiven die Einstellungen des Neuparlamentariers zu prägen beginnen.

3. Mandat und Parlament

Gerhard Loewenberg unterscheidet in seiner Studie über den Deutschen Bundestag zwei Arten von Einflüssen, die das Verhalten des Abgeordneten bestimmen: solche, die auf die soziale Herkunft zurückzuführen sind und solche, die „aus spezifischen Verhaltensnormen der parlamentarischen Institutionen stammen„ [22]. Die Verhaltensnormen der parlamentarischen Institutionen seien durch eine vorherrschende Gruppe von „Berufsparlamentariern" gekennzeichnet. Sie prägten den Arbeitsstil des Hauses, zu dem auch eine Art Korpsgeist gehöre, „wie er für bestimmte Berufsgruppen typisch ist und der über die Parteigrenzen hinausreicht" [23]. Loewenberg behauptet ferner, dieser Korpsgeist habe zur Aufstellung informeller Verhaltensregeln geführt, zu denen auch eine gewisse Zurückhaltung gegenüber Änderungen der Politik gehöre [24].
Der Pluralismustheoretiker David Truman hatte im Anschluß an Bentley schon Anfang der Fünfziger Jahre auf die Existenz innerparlamentarischer Normen hingewiesen und sie als eine wichtige Barriere gegen eine reine Interessenvertretung durch die Abgeordneten interpretiert, gewissermaßen als parlamentarischer Schutzwall gegen die anstürmenden Interessengruppen [25]. Von dieser positiven Interpretation, die sich grundlegend von derjenigen Loewenbergs unterscheidet, hat sich die amerikanische Parlamentsforschung über lange Zeit nicht getrennt. Den internen parlamentarischen Normen wurde der ansprechende Titel *Folkways* (R. Mathew) verliehen, und obgleich festgestellt wurde, daß „Mitglieder, die sich am strengsten an diese Normen halten, im allgemeinen die einflußreichsten und effektivsten Parlamentarier sind„ [26], konzentrierte sich die Forschung nicht auf ihre möglichen politischen Implikationen, sondern auf die verschiedenen Rollen, die sich innerhalb ihrer Restriktionen oder an ihnen vorbei (Außen-

22 *Gerhard Loewenberg*, Parlamentarismus im politischen System der Bundesrepublik Deutschland, Tübingen 1969, S. 67.

23 a. a. O., S. 167.

24 a. a. O., S. 167.

25 *David B. Truman*, The Governmental Process, New York 1964 (1. Auflg. 1951), S. 351. *Arthur F. Bentley*, The Process of Government, Chicago 1908.

26 *Ralph K. Huitt*, The Outsider in the Senate: An Alternative Role, in: *R. E. Wolfinger* (ed.), Readings . . ., a. a. O., S. 53.

seiter, Maverick) spielen lassen [27]. Bevor wir auf die Ergebnisse unserer Untersuchung zurückkommen, wollen wir uns die wichtigsten Resultate der amerikanischen Parlamentsforschung vergegenwärtigen.

a) Zur Analyse von Parlamentarierrollen in den USA

James David Barber hat im Rahmen der Rollenanalyse die wohl umfassendste Untersuchung geliefert [28]. Seinem Grundgedanken zur Folge repräsentiert das politische Verhalten eines Neuparlamentariers Anpassungstechniken oder -strategien, mit denen das Individuum eine Maximierung seiner Bedürfnisbefriedigung sucht. Die jeweils besondere Strategie hänge davon ab, welche besonderen Bedürfnisse vorliegen und welche Befriedigungsarten die parlamentarische Umgebung anbietet [29]. Barber konstruiert vier verschiedene Parlamentariertypen durch Kreuzung zweier Indizes (Bereitschaft zur erneuten Kadidatur und Aktivität im Parlament), prüft die relative Gruppenstärke dieser Parlamentariertypen anhand einer schriftlichen Befragung von 150 Neuparlamentariern im Unterhaus von Connecticut und untersucht ihr typisches Verhalten.

Durch eine zweimalige Befragung (am Anfang und am Ende der Legislaturperiode) gelingt es Barber aufzuzeigen, daß die eigentlichen typischen Verhaltensweisen sich erst im Laufe der parlamentarischen Arbeit herauskristallisieren. Das heißt, daß der Parlamentarier die ihm „gemäße" Rolle im Laufe der praktischen parlamentarischen Arbeit findet. So wird der Aktivist mit hoher Bereitschaft zur Wiederkandidatur zum *Lawmaker,* der vor allem auf Effizienz der parlamentarischen Arbeit bedacht ist. Er könnte der

27 *Ralph K. Huitt,* The Roles of Congressional Committee Members, in: *John C. Wahlke/Heinz Eulau* (eds.), Legislative ..., a. a. O., S. 317—332. *John C. Wahlke u. a.,* The Legislative System, New York 1962, darin insbesondere die Entwicklung der Rollenkonstruktion in: A Framework for Analysis, S. 3—28. Diese Rollenkonstruktionen werden in der empirischen Analyse auf Daten aus vier amerikanischen Einzelstaaten angewendet. Eine Anwendung derselben Kategorien auf das Repräsentantenhaus erfolgt bei *Roger H. Davidson,* The Role of the Congressman, New York 1969. Zur Rolle des Außenseiters liegen vor allem Studien zum Senat vor, so z. B. *Ralph K. Huitt,* The Outsider ..., a. a. O.

28 *James David Barber,* The Lawmakers, New Haven 1965.

29 *J. D. Barber,* a. a. O., S. 213. Derselbe Gedanke findet sich bereits bei *John C. Wahlke/Heinz Eulau* (eds.), Legislative ..., a. a. O., in der Einleitung zum dritten Abschnitt: The Social and Psychological Bases of Legislative Behavior.

von Loewenberg geprägten Kategorie der Berufsparlamentarier zugerechnet werden, doch im Gegensatz zu Loewenberg sieht Barber nicht die Ambivalenz seiner professionalisierten Herrschaftsausübung, die nicht nur dem Parlament als ganzem im Sinne einer Effizienzsteigerung zugute kommt, sondern sich eben zwangsläufig auch gegen die „Mitläufer" (niedrige Aktivität) wendet — ob diese nun zur Wiederkandidatur bereit sind, weil sie auf das mit dem Mandat verbundene gesellschaftliche Ansehen nicht verzichten wollen *(Spectators)*, oder ob sie die Wiederkandidatur nicht anstreben, weil sie sich in Ermangelung anderer Kandidaten schon bei ihrer ersten Kandidatur nur „zur Verfügung gestellt" haben *(Reluctants)*. Lediglich die *Advertisers*, die das Mandat als eine günstige Zwischenstation ihrer freiberuflichen Karriere ansehen, könnten sich den Berufspolitikern im Parlament entgegensetzen, wenn es ihnen gelingt, innerhalb ihrer kurzen Mandatszeit genügend Insiderkenntnisse zu gewinnen [30].

Kennern der parlamentarischen Szene in Bonn wird es bei einiger Mühe sicherlich gelingen, die von Barber charakterisierten Typen auch im Deutschen Bundestag wiederzufinden. Auch würde es möglich sein, dort jene Rollen zu identifizieren, die John C. Wahlke, Heinz Eulau und Koautoren Ende der Fünfziger Jahre konstruiert hatten: Die *Consensual Role* (Internalisierung formeller Spielregeln); die *Representational Role* (Perzeption der Wählerbindung); die *Purposive Role* (Perzeption der eigenen generellen Funktion) [31]. Die Liste der Rollen ließe sich mit anderen Autoren verlängern. Schon allein diese große Anzahl verschiedener Rollen könnte den Verdacht erregen, daß die sozialwissenschaftliche Analyse sich selbst ad absurdum führt: Die Kategorie der Rolle, durch die gerade der restriktive und alternative Charakter der parlamentarischen Organisation ins Verhältnis zu dem theoretischen Universum von Verhaltensmöglichkeiten gesetzt, also der

30 Wenn *J. D. Barber* im Anschluß an seine Analyse eine personelle Verstärkung der Gruppe von Lawmakern fordert, gibt er damit indirekt zu erkennen, daß er die von ihm gewünschte Mischung aus Repräsentativität und Effektivität eher zugunsten einer Bürokratisierung des Parlaments verändert sehen möchte. Vgl. *J. D. Barber*, a. a. O., S. 252.

31 Für die Representational Role bilden die Autoren die drei Typen „Trustee", „Politico" und „Delegate" (siehe dazu S. 154). Hinsichtlich der Purposive Role unterscheiden sie den „Ritualist", „Tribune", „Inventor" und „Broker". Zu den entsprechenden Definitionen siehe *John C. Wahlke* u. a., The Legislative . . ., a. a. O., S. 11 ff, S. 272—280 und S. 246—249.

Zwangscharakter der untersuchten sozialen Wirklichkeit deutlich werden soll, versagt als analytisches Instrument, wenn sie zuviele Variationen zuläßt [32].

Noch tiefer setzt die Kritik von Duane Lockard an, der mit Recht auf die Statik von Rollenanalysen hinweist, in denen die Möglichkeit eines Rollentausches nicht berücksichtigt wird [33]. Charles Bell und Charles Price haben darauf hin den Rollenwechsel von 30 Neuparlamentariern der *California Assembly* nach einer modifizierten Rollenskala von Wahlke u. a. untersucht und sind dabei — wenn auch durch die Beschränkung auf nur eine einzige Skala sehr begrenzt — zu Ergebnissen gelangt, die in dem hier diskutierten Zusammenhang besonders interessiert [34].

Von den befragten Neuparlamentariern interpretieren unmittelbar nach ihrer Wahl nur drei ihre Rolle als *Trustee,* d. h. als eine von den Wählern prinzipiell unabhängige Entscheidungstätigkeit. Sieben Neuparlamentarier halten sich für *Delegates* ihrer Wählerschaft, die den Wählerwillen unmittelbar umsetzen wollen. Zwanzig Neuparlamentarier nehmen eine mittlere Stellung ein, die von Wahlke u. a. *Politico* benannt worden ist. Ein Jahr später wurden dieselben Parlamentarier erneut befragt. Dabei stellte sich heraus, daß vierzehn Parlamentarier ihre Rolle getauscht hatteen, also knapp die Hälfte. Die Anzahl der *Delegates* war auf vier, die der *Politicos* auf siebzehn geschrumpft; die Rolle eines *Trustee* spielten nunmehr neun statt vorher drei.

Die Autoren schließen nicht aus, daß mit zunehmender parlamentarischer Erfahrung auch weitere Neuparlamentarier von den 30 befragten die Rolle eines *Trustee* übernehmen könnten. Unabhängig davon sehen sie sich aber in ihrer Annahme bestätigt, wonach das Verhalten des Parlamentariers sowohl im Laufe seiner parlamentarischen Tätigkeit als auch in der Zeit vor seinem Amtsantritt geprägt wird, in diesem speziellen Fall offenbar zu je

32 Allein die in diesem Absatz genannten Rollensätze zu zweimal 4 Varianten (Barber u. Wahlke) und einmal 3 Varianten (Wahlke) lassen 48 verschiedene Kombinationen und damit eine entsprechende Zahl von Cross-Pressure-Situationen zu, in denen das Verhalten durch die Rollenkategorien allein nicht mehr charakterisiert, geschweige denn vorausgesagt werden kann. Vgl. in diesem Zusammenhang die Kritik an den einschlägigen Cross-Pressure-Modellen der Wähleranalyse bei *Peter W. Sperlich,* Conflict and Harmony in Human Affairs: A Study of Cross-Pressures and Political Behavoir, Chicago 1971.

33 *Duane Lockard,* The State Legislator, in: Alexander Heard (ed.), *State Legislature in American Politics.* Englewood Cliffs 1966, S. 89—125.

34 *Charles C. Bell/Charles M. Price,* Pre-Legislative Sources of Representational Roles, in: Midwest Journal of Political Science, Vol. 13 (1969), S. 254—270.

ungefähr 50 Prozent. Sollte dieser erstaunlich starke Einstellungswandel von Neuparlamentariern der *California Assembly* nur zufällig gerade diejenige Einstellung betreffen, die für die *Representational Role* maßgebend gemacht worden ist? Muß es auch in Anbetracht unserer eigenen Untersuchungsergebnisse zum Einstellungswandel von Neuparlamentariern im Deutschen Bundestag nicht eher verwundern, daß James David Barber bei der Untersuchung von Neuparlamentariern in Connecticut auf ein relativ konstantes Bild der Motivation stieß, das er (auch deshalb) zur Grundlage seiner Typenbildung machen konnte?

Anhand unserer Daten ist es leider nicht möglich, einen Aktivitätsindex zu bilden, der dem von Barber vergleichbar wäre. Hinsichtlich der anderen von Barber verwendeten Dimension — dem Willen, erneut für ein Mandat zu kandidieren — geben 40 Prozent der befragten Neuparlamentarier nach drei Jahren Parlamentserfahrung eine andere Antwort (Tabelle III/4). Sie verschieben dabei die anfänglich noch dichotome in eine monotone Einstellungscharakteristik: Am Ende ihrer ersten drei Jahre parlamentarischer Arbeit in Bonn wollen nahezu alle befragten Neuparlamentarier auch weiterhin dem Deutschen Bundestag angehören. Zumindest diese eine Dimension, für die Analyse von Barber so zentral, eignet sich infolge dessen nicht für eine Typenbildung der Neuparlamentarier im Deutschen Bundestag.

Tabelle III/4 *Einstellungswandel von Neuparlamentariern zu ihrer Wiederkandidatur*

Frage: Haben Sie vor, länger als eine Wahlperiode im Bundestag zu sein?

Antwort: (1) Ja
(2) Unentschieden

		1972 (1)	(2)	SU
1969	(1)	26	2	28
	(2)	17	2	19
	SU	43	4	47

Zu-/Abgänge (1) = 17/2; chi² = 11,8; d.f. = 1; Anteil der Wechsler = 19 : 47 (40 Prozent)

Was die Schwierigkeiten der Rollenanalysen verursacht — die Einstellungslosigkeit und mehr noch der sich bei allen zweimaligen Befragungen derselben Personen deutlich zeigende Einstellungswandel von Parlamentariern während der ersten Legislaturperiode — stützt unsere in Kapitel II entwickelte Interpretation der Daten, wonach das Verhalten des Neuparlamentariers stärker durch seine neue, nämlich durch die parlamentarische Erfahrungswelt geprägt wird als durch die Erfahrungen, die er bis an die Schwelle des Parlaments mitbringt und die ihn dorthin gebracht haben[35] Wenn sich ihm das neue Wirkungsfeld Parlament eröffnet, scheint es zunächst eine Fülle von Konzessionen zu verlangen: Der Neuparlamentarier hat sich in die Regeln zu fügen, er steht vor einer komplexen und für ihn unbekannten Kommunikationsstruktur, er wird mit Drucksachen überschüttet und von Interessenten bedrängt, und schließlich muß er erkennen und sich damit abfinden, daß sein Einfluß, um dessentwillen er zur Kandidatur antrat, nicht dem Kehrwert der Anzahl aller Mitglieder des Parlaments entspricht, sondern daß davon noch eine Konstante abgezogen werden muß, in die die Wirkung vertikaler und horizontaler Einflußstrukturen eingeht.

b) Zur Analyse der internen Kooperationsstruktur

Mit wachsender Einsicht in die verhaltensprägende Kraft innerparlamentarischer Strukturen rückt die Rollenanalyse, bis Mitte der Sechziger Jahre vorherrschend in der Parlamentsforschung, in den Hintergrund. Es geht nun zunächst darum, mehr über die formellen und informellen Strukturen von Parlamenten unterschiedlicher Größenordnung und mit unterschiedlicher Fluktuationen zu erfahren, bevor, auf den Strukturvariablen gründend, erneut Rollenanalysen versucht werden können.

Einen der bedeutendsten Beiträge dieser neuen Parlamentsforschung hat Richard Fenno mit seiner akribischen Analyse des *House Appropriations Committee* im amerikanischen Repräsentantenhaus geliefert. Auch in ihr wird der Einfluß Bentleys und Trumans erkennbar, wenn die koordinierenden allgemeinen Verhaltensregeln einer disruptiven Einflußstruktur ent-

35 Daß selbst die relativ intensiven Eindrücke aus der Wahlkampagnenzeit nur kurzfristig Spuren in den Einstellungen von Neuparlamentariern hinterlassen, zeigen in einer eindrucksvollen Analyse neuerdings *Richard G. Price/Harold D. Clarke/Robert M. Krause*, The Role Socialization of Freshman Legislators: The Case of Canadian M. P.'s, Paper presented to the Annual Meeting of the American Political Science Association, San Francisco, September 5, 1975.

gegengesetzt werden [36]. Fenno unterscheidet zwei Bündel von Regeln: Das eine Bündel sichert die Harmonie zwischen denen, die Führungspositionen innehaben, und jenen, die solche Positionen nicht einnehmen *(Seniority-Protégé-Apprentice System)*; das andere Bündel sichert die Harmonie derer untereinander, die Fühungspositionen innehaben *(Negotiation and Bargaining System)* [37]. Zu den Normen, denen sich jedes Mitglied fügen muß, gehören vor allem Spezialisierung, Reziprozität, Einigkeit (einheitliche Selbstdarstellung) von Unterausschüssen gegenüber Ausschüssen, minimale Parteilichkeit.

Die Auswahl der Kategorien Norm, Sozialisation und Sanktion erlaubt Fenno eine überzeugende Darstellung der Verselbständigung parlamentarischer Strukturen: „Die Sozialisation der Neumitglieder im Ausschuß während ihrer Lehrzeit in der ersten oder in den ersten beiden Legislaturperioden dient dazu, ihre Problemsicht und ihre Attitüden ausreichend an die der anderen Mitglieder anzupassen ..." [38]. Die interne Hierarchie, zumeist dem Senioritätsprinzip entsprechend, vermag sich durch die Sozialisationsphase und durch Sanktionen gegenüber störenden Einflüssen abzusichern. Ihre hohe Stabilität — als Organisationsprinzip, nicht als Resultat persönlicher Loyalitäten verstanden — garantiert dem Neuling bei konformem Verhalten einen sicheren Aufstieg, so wie er auch in Bürokratien üblich ist. Gerade diese positiven Sanktionen sind es wiederum, die die Chancen einer ledig-

36 *Richard F. Fenno*, The Power of the Purse: Appropriations Politics in Congress, Boston 1966. *Ders.*, The House Appropriations Committee as a Political System; The Problem of Integration, in: *R. E. Wolfinger* (ed.), Readings ..., a. a. O., S. 132—157. *Ders.*, The Internal Distribution of Influence: The House, in: *R. E. Wolfinger (ed.)*, Readings ..., a. a. O., S. 199—224. Vgl. auch die Anwendung des Konflikt/Konsens-Modells bei *Stephen K. Bailey*, Congress in the Seventies, New York 1970 (Erstaufl. 1966), der die beiden Seiten des Modells unter den Bezeichnungen „zentrifugale" und „zentripetale" Kräfte zum Gliederungsprinzip seiner Analyse erhob.

37 *R. F. Fenno*, The Internal ... a. a. O., S. 218 ff.

38 *R. F. Fenno*, The House Appropriations ..., a. a. O., S. 150. Vgl. auch *Roland Young*, The American Congress, New York 1958, der nicht nur das Erlernen bestimmter Fertigkeiten für den Neuparlamentarier als unerläßlich hinstellt, sondern auch das Erlernen eines Kanons „ethischer Verhaltensweisen" (S. 45). Auch sonst greift Young dem hier entwickelten Gedanken vor — allerdings ohne stützende Daten zu liefern: „Neue (Repräsentantenhaus-) Mitglieder identifizieren sich in einer bemerkenswert kurzen Zeit mit dem, was man die Kongreßperspektive nennen könnte, aber die Periode der vollen Reifung, in der der Politiker ein ausgewachsener Parlamentarier wird, dem seine Kollegen voll vertrauen, kann viele Jahre dauern." (S. 52 f, Übers. v. J. R.)

lich taktischen Anpassung mindern und den Abgeordneten für einen nachhaltigen Einstellungswandel gefügig machen. Die Folge: „... Mitglieder, die die größte Macht zur Veränderung des Systems haben, zeigen die geringste Bereitschaft dazu." [39] Wer in den Ausschuß hineinkommt und etwas ändern will, der kann es nicht, und wer es kann, der will es nicht. Der stabilisierende Circulus Vitiosus ist komplett und konserviert auch dort, wo es nicht einmal eine formale bürokratische Struktur gibt.

Das alles gäbe keinen Anlaß zur Beunruhigung, wenn wirklich nur Regeln der politischen Auseinandersetzung festgelegt und damit eine — insofern dann auch überflüssige — Parlamentsreform gelähmt würde. Doch besteht durchaus Veranlassung zu der Vermutung, daß mit den nackten Regeln, die in der Praxis so „nackt" bekanntlich gar nicht definierbar sind, auch andere Werte dem Neuparlamentarier zur Verinnerlichung nahegelt werden, deren politische Auswirkungen sehr viel weiter reichen [40]. Bei den Mitgliedern des von ihm untersuchten *House Appropriations Committee* z. B. bemerkt Fenno den grundlegenden Konsens, daß sie sich gegenüber allen Budgetforderungen äußerst kritisch und aggressiv geben müssen, und daß sie das Gefühl haben, prinzipiell alle Ansätze kürzen zu müssen [41].

Man kann sagen, daß der hier entwickelte Grundgedanke zu einem festen Bestandteil der modernen Kongreßliteratur in den USA geworden ist [42]. Auch werden quantitative Methoden seit einigen Jahren verstärkt zur Analyse informeller Strukturen oder doch zumindest ihrer erkennbaren Auswirkungen herangezogen, haben bisher jedoch nur wenige zuverlässige Ergebnisse geliefert und blieben häufig eng auf die Internalisierung der sogenann-

39 *R. F. Fenno*, The House Appropriations ..., a. a. O., S. 154.

40 Hier muß zwischen zwei verschiedenen Einflüssen von formellen und informellen Regeln unterschieden werden: a) Einflüsse auf die politischen Einstellungen von Parlamentariern — vgl. dazu *R. F. Fenno*, The Internal ..., a. a. O., S. 220 ff. Über die Veränderungen von politischen Einstellungen kann diese Regelinternalisierung auch das Ergebnis von Entscheidungen beeinflussen; b) Einflüsse auf den Entscheidungsprozeß und damit auch auf das Ergebnis von parlamentarischen Entscheidungen — vgl. hierzu *Dale Vinyard*, Congress, New York 1968, S. 92—218; *William H. Riker*, Voting Methods and Irrationality in Legislative Decisions, in: *John C. Wahlke/Heinz Eulau* (ed.), Legislative ..., a. a. O., S. 97—108. *John Bibby/Roger Davidson*, On Capitol Hill, Studies in the Legislative Process, New York 1967, S. 197—218.

41 *R. F. Fenno*, The House Appropriations ..., a. a. O., S. 135.

42 Vgl. *John F. Manley*, The Politics of Finance Boston 1970, insbes. Kapitel III; *Richard F. Fenno*, Congressman in Committees, Boston 1973, insbes. Kapitel VI; *Randall B. Ripley*, Congress. Process and Policy, New York 1975, Teil I/Kap. 3, und Teil II.

ten Spielregeln und ihrer Folgen beschränkt [43]. Eine der interessantesten Weiterentwicklungen ist den Wissenschaftlern William Mishler, James Lee und Alan Tharpe gelungen [44]. Ausgehend von Nelson Polsbys These über die Institutionalisierung des Repräsentantenhauses [45] fragen sie nach den Mechanismen, die trotz der zweijährigen Fluktuation von durchschnittlich 20 Prozent der Mitglieder des Repräsentantenhauses die institutionelle Kontinuität („Boundaries") sichern. Sie entwerfen ein innerparlamentarisches Bezugsgruppenmodell und prüfen in der Folge die Wirkung der Bezugsgruppen auf das Abstimmungsverhalten sowohl von Neu- wie auch von Altparlamentariern über je 60 Abstimmungen von insgesamt vier (einjährigen) Sitzungsperioden.

Es zeigt sich, daß die *State-Party* und die *State-Delegation* den stärksten Einfluß auf das Abstimmungsverhalten ausüben, und daß sich darin die Neuparlamentarier von den Altparlamentariern nach einer kurzen Anlaufphase nicht mehr unterscheiden. Die Autoren schließen hieraus, daß die Bezugsgruppenrelevanz schon vor Eintritt in das Repräsentantenhaus von den Neuparlamentariern verinnerlicht worden ist. Unterschiede innerhalb der Gruppe der Neuparlamentarier geben darüber hinaus zu der Vermutung Anlaß, daß solche Neuparlamentarier, die schon in ihrem Bundesstaat parlamentarische Erfahrungen sammeln konnten, größere Anpassungsschwierigkeiten haben als ihre unerfahrenen Kollegen. Möglicherweise haben sie Verhaltensweisen erlernt, die aus der Sicht des Repräsentantenhauses ganz ungeeignet sind, und müssen sich nun erst langsam wieder von ihnen befreien.

43 Siehe *John C. Wahlke u. a.*, The Legislative System, a. a. O., Kapitel 7. Zum Vergleich hierzu: *Allan Kornberg*, The Rules of the Game in the Canadian House of Commons, in: Journal of Politics, Vol. 26 (1964), S. 358—380 und neuerdings *Richard G. Price u. a.*, The Role Socialization . . ., a. a. O., Zur kalifornischen Assembly vgl. *Charles G. Bell/Charles M. Price*, The Rules of the Game: Political Fact or Academic Fancy? in: Journal of Politics, Vol. 32 (1970), S. 839 bis 855. Zum amerikanischen Repräsentantenhaus: *Herbert B. Asher*, The Learning of Legislative Norms, in: American Political Science Review, Vol. 68 (1973), S. 499—513.

44 *William Mishler/James Lee/Alan Tharpe*, Determinants of Institutional Continuity: Freshman Cue-Taking in the U. S. House of Representatives, in: Allan Kornberg (ed.), *Legislatures in Comparative Perspektive*, New York 1973, S. 363—397.

45 *Nelson W. Polsby*, The Institutionalization of the U. S. House of Representatives, in: American Political Science Review, Vol. 62 (1968), S. 144—168.

Strukturanalysen wie diese sind für die Untersuchung amerikanischer Legislaturen durchaus geeignet, weil die Parteizugehörigkeit dort bei weitem nicht die Rolle spielt, die ihr in der Bundesrepublik zukommt. So ist es in den USA nicht prinzipiell abwegig, Einstellungen und Orientierungen eines Abgeordneten durch Beobachtung seines Abstimmungsverhaltens über einen längeren Zeitraum hinweg zu ermitteln. Demgegenüber erscheint dieses Vorgehen im Deutschen Bundestag ganz und gar unzweckmäßig, da die Fraktionen überwiegend geschlossen abstimmen. Man müßte deshalb, um Vergleichbares zu leisten, das Abstimmungsverhalten der Abgeordneten in den Fraktionssitzungen untersuchen. Dort wird jedoch häufig nicht abgestimmt, und Abstimmungsergebnisse sind der Allgemeinheit nicht zugänglich.
Um so dringender wird nun die quantitative Strukturanalyse auch für den Deutschen Bundestag, zu dem empirische Analysen immer noch dünn gesät sind. Hervorzuheben ist hier die außerordentlich eingehende Analyse von Heribert Schatz, in der die hierarchische Führungsstruktur des Verteidigungsausschusses offengelegt wird[46]. Auch über den Verteidigungsausschuß hinaus weist Schatz auf die Spezialisierung und Hierarchisierung als charakteristische Merkmale der Organisation Deutscher Bundestag hin und folgert, daß diese Organisation zwangsläufig zur bevorzugten Erledigung von Vollzugsentscheidungen führe, wie sie auch in der Ministerialorganisation gefällt würden[47].
Die bürokratische Organisation figuriert hier generell als Wegbereiter einer Politik der Vollzugsentscheidungen und als Behinderung bei der Entwicklung von Zielkonzeptionen. Nach den Enttäuschungen, die die Reorganisation der Ministerialorganisation im Zusammenhang mit den Planungsbemühungen der ersten sozial-liberalen Regierung gebracht haben, wird man den Einfluß der formalen Organisationsstruktur heute eher skeptisch beurteilen. Näher scheint die Vermutung zu liegen, daß die vorgefundenen formellen und informellen Strukturen bestehende Machtverhältnisse nur ausdrücken und insofern überhaupt nicht ernsthaft zur Disposition stehen. Unter diesen Umständen stellt sich allerdings gerade für die parlamentarische Organisation die Frage, inwieweit sie die dem Parlament eigentümlichen Machtverhältnisse gegen die alle vier Jahre schwunghaft anrückenden Neuparlamentarier abzusichern imstande ist. Genau auf diese Frage haben

46 *Heribert Schatz,* Der parlamentarische Entscheidungsprozeß. Bedingungen der verteidigungspolitischen Willensbildung im Deutschen Bundestag, Meisenheim am Glan 1970.

47 a. a. O., S. 158.

wir mit der Analyse von parlamentarischer Subkultur und parlamentarischer Sozialisation eine Antwort zu geben versucht.

c) *Nocheinmal: Zur Analyse der parlamentarischen Subkultur*

Eine umfassende quantitative Analyse des Wandels politischer Einstellungen von Neuparlamentariern, durch die allein Art und Umfang interner parlamentarischer Strukturen erkennbar werden könnten, steht in der amerikanischen wie in der deutschen Parlamentsforschung bisher noch aus [48]. Auch unsere Untersuchung kann ihrer mehrfach erwähnten methodologischen Handicaps wegen nicht als Abschluß, sondern nur als Beginn der ausstehenden Einstellungsanalysen angesehen werden. In ihr wird nach der Internalisierung einer herrschenden Lehre von den parlamentarischen Aufgaben und Arbeitsweisen bis hin zu den für ihre kontinuierliche Durchführung erforderlichen politischen Einstellungen der Organisationsmitglieder gefragt. Vergleichbar jener von Richard Fenno analysierten Stabilisierung des *House Appropriations Committee* wird diese Lehre — so unsere Generalhypothese — mit Hilfe eines ganzen Netzes hierarchischer Beziehungen durch das Parlament selbst gefestigt. Wir haben sie deshalb *parlamentarische Subkultur,* die Mittel ihrer Erhaltung dagegen *Sozialisationssystem* benannt.
Die Ergebnisse unserer Analyse sind unseres Erachtens nicht unbedingt dazu angetan, das Vertrauen in das Parlament zu stärken. So beunruhigt insbesondere die Fülle der Anzeichen dafür, daß der Abgeordnete des Deutschen Bundestages in Einstellungsbereichen, die für seine Tätigkeit als Parlamentarier bedeutsam sind, sich überhaupt konfektionieren läßt; ferner daß die Konfektionierung nicht nur seine Einstellungen gegenüber der parlamentarischen Organisation, sondern auch die gegenüber der politischen Umwelt

48 Das statistische Instrumentarium für derartige Analysen ist inzwischen ausreichend entwickelt. Auch sollten die üblichen Befragungsprobleme kein prinzipieller Hinderungsgrund für die geforderte Analyse sein. Schwierigkeiten ergeben sich dagegen vor allem im theoretischen Bereich, genauer: beim Relevanzproblem. Validität und vor allem Reliabilität steigen mit dem Sampleumfang und vor allem mit der Anzahl der Wiederholungen derselben Befragung (Panelstudie). Genau diese Bedingungen setzen dem Umfang des Fragenkatalogs enge Grenzen, was für die Untersuchung der organisatorischen Subkultur vor allem bedeutet, daß man schon vor der Datenaufnahme recht klare Vorstellungen über ihre Ausprägungen und zudem über die (unterschiedliche) Bedeutung dieser Ausprägungen für die Tätigkeiten der Organisation haben muß.

(Gesellschaftsbild, Funktion der Presse, Verhältnis Parlament/Interessengruppen, Ministerialbürokratie) umfaßt. Die politische Umwelt, die vom Stuhl des Bonner Abgeordneten anders erscheint als aus dem Schatten seines ersten Wahlkampfes, prägt den Neuparlamentarier unerwartet schnell und stark. Umso wichtiger erscheint uns die Frage, welche zentrifugalen Kräfte innerhalb oder außerhalb des Parlaments für Meinungsvielfalt und Auseinandersetzung sorgen.

Eine Auflockerung der parlamentarischen Subkultur sollte eigentlich durch die überragende Bedeutung des Parteienwettstreites im Deutschen Bundestag bewirkt werden. Unsere Daten sind jedoch eher dazu geeignet, auch diese Hoffnung zu dämpfen. In nur einem einzigen Fall konnte eine reine beharrliche gegensätzliche Auffassung zwischen den Neuparlamentariern der SPD und denen der CDU/CSU, also ein *parteikultureller Effekt* ($Psi_{1,2} > .0$) festgestellt werden (Tabelle III/5). Neben dieser parteikulturellen Variablen wurde in einem einzigen anderen Fall auch ein *Regierungs/Oppositionseffekt* ($Psi_1 < Psi_2$) erkennbar (Tabelle III/6).

Tabelle III/5 *CDU/CSU- und SPD-Neuparlamentarier zur Öffentlichkeitsarbeit einer zerstrittenen Fraktion*

Frage: Es wird oft gesagt, Fraktionsdisziplin sei nötig, denn das Bild innerer Zerstrittenheit der Fraktion mache keinen guten Eindruck in der Öffentlichkeit. Sind Sie auch dieser Ansicht?

Antwort: (1) Ja
(2) Nein

		Prozente			
		1969		1972	
	N	(1)	(2)	(1)	(2)
CDU/CSU	10	90	10	90	10
SPD	9	22	78	22	78
Zusammen	19	58	42	58	42
		$Psi_1 = .78$		$Psi_2 = .78$	

Stat. Fehler = 0,005 (Fisher-Exakt)

Tabelle III/6 *Regierungsfraktionen und Opposition zur Behandlung des Haushaltsentwurfs*

Frage: Die Verabschiedung der Haushalte gehört ja zu den wichtigsten Aufgaben des Parlaments. Im Haushaltsplan ist aber der größte Teil der Ausgaben durch gesetzliche Bindungen schon festgelegt, so daß der Bundestag für neue Aufgaben nur wenig finanzielle Mittel zur Verfügung hat. Würden Sie es für sinnvoll halten, daß man bei jeder Verabschiedung eines neuen Haushaltsplanes die Möglichkeit hat, die festgelegten Ausgaben noch einmal darauf hin zu überprüfen, ob es immer noch richtig ist, sie so und nicht anders zu verwenden?

Antwort: (1) Ja
(2) Nein

		Prozente			
		1969		1972	
	N	(1)	(2)	(1)	(2)
Regierungsfraktionen	22	64	36	23	77
Opposition	23	39	61	48	52
Zusammen	45	51	49	36	64
		$chi^2 = 2{,}7$		$chi^2 = 5{,}2$	
		$Psi_1 = .24$		$Psi_2 = .35$	
		d.f. = 2		d.f. = 2	

Dagegen lassen sich zahlreiche Belege für die Überlagerung eines Parteikultur- ($Psi_{1,2} > .0$) und Insidereffektes ($Psi_3 > .0$) liefern. So wird die Existenz einer feingestuften Wertskala von Bundestagsausschüssen anfangs von fast allen befragten Neuparlamentariern der CDU/CSU und von der großen Mehrheit derjenigen in der SPD bestätigt. Drei Jahre später wollen von dieser Wertskala in beiden Gruppen sehr viel weniger Abgeordnete wissen (Tabelle II/11). Oder die Frage, ob die Kontrollmöglichkeiten des Abgeordneten erhöht werden sollen, wird zwar vorher wie nachher von mehr SPD-Neuparlamentariern als von ihren Kollegen der Opposition bejaht, doch beide Gruppen geben sich nach dreijähriger Parlamentserfahrung mit den bestehenden Kontrollmöglichkeiten zufriedener (vgl. Tabelle III/7). Schließlich lassen sich Belege für einen Institutionseffekt liefern, durch den anfänglich unterschiedliche Auffassungen der beiden Parteiungen von Neuparlamentariern nivellieren ($Psi_1 > .0$; $Psi_2 = .0$). Ein Beispiel dafür ist die Einstellung gegenüber der Frage, ob Ausschußberatungen öffentlich stattfinden sollten. Die Neuparlamentarier in der SPD opferten ihrem „besseren" Einblick in die parlamentarischen Gepflogenheiten die anfänglich überproportionale Wertschätzung der Öffentlichkeit von Ausschußsitzungen (Tabelle III/8).

Tabelle III/7
Neuparlamentarier zu den Kontrollmöglichkeiten des Abgeordneten — Parteidifferenzen und Meinungsänderungen

Frage: Meinen Sie, daß die Kontrollmöglichkeiten des Abgeordneten erhöht werden sollten?

Antwort: (1) Ja
(2) Nein

		Prozente			
	N	(1)	(2)	(1)	(2)
CDU/CSU	18	56	44	39	61
SPD	14	86	14	50	50
Zusammen	32	69	31	44	56

	chi²	Psi1	d.f.
(1969)	$chi^2 = 3.5$	$Psi_1 = .33$	d.f. = 2
(1972)	$chi^2 = 0,4$	$Psi_1 = .10$	d.f. = 2

Zu-/Abgänge von (1) und (2)

		1972 (1)	1972 (2)
1969	(1)	9	1
	(2)	9	13

$chi^2 = 6,4$; $Psi_3 = .46$; d. f. = 1

Tabelle III/8 *Öffentlichkeit von Ausschußberatungen aus der Sicht von Neuparlamentariern der CDU/CSU und der SPD*

Frage: Sehen Sie gewichtige Gründe, die gegen die Öffentlichkeit von Ausschußberatungen sprechen?

Antwort: (1) Ja
(2) Nein

		Prozente			
		1969		1972	
	N	(1)	(2)	(1)	(2)
CDU/CSU	23	52	48	48	52
SPD	20	85	15	45	55
Zusammen	43	67	33	47	53
		$chi^2 = 3{,}4$		$chi^2 = 0{,}0$	
		$Psi_1 = .28$		$Psi_2 = .00$	
		d.f. = 2		d.f. = 2	

Wenn das alles Anzeichen einer parlamentarischen Subkultur mit überwiegend „zentripetaler“ Sozialisation sind, dann wird auch nachvollziehbar, daß die Anpassung von Neuparlamentariern an die vorgefundenen Arbeitsbedingungen mit teilweise erheblichem Leidensdruck verbunden sein kann. Der Protest von Neuparlamentariern, z. B. gegen eine Bevormundung durch die Fraktionsspitzen, gibt Zeugnis davon und, wie man weiß, dann und wann auch Anlaß zu einer „psychologischeren“ Behandlung dieser Parlamentariergruppe durch die Fraktionsspitzen [49].
Zwar ist nicht auszuschließen, daß die Ursachen der Anpassungsschwierigkeiten in übersteigerten Erwartungen der Neuparlamentarier zu ihren zukünftigen Wirkungsmöglichkeiten oder auch darin liegen, daß es ihnen auf Grund typischer vorangegangener Karriereerfahrungen nur an den für die parlamentarische Arbeit erforderlichen Fertigkeiten mangelt [50]. Beide An-

49 Vgl. *Uwe Thaysen,* Parlamentsreform in Theorie und Praxis, Opladen 1972, S. 167—178. „Bonner Generalanzeiger“: Wehner und die Nöte der MdB-Novizen, Ausgabe vom 9. Mai 1973.

50 *Heinz Rausch/Heinrich Oberreuter,* Parlamentsreform in der Dunkelkammer? in: Kritik 3, *Parlamentarismus ohne Transparenz,* hrg. v. Winfried Steffani, Opladen 1971, S. 141—164.

nahmen sind durch die bisher vorliegenden Untersuchungen eher bestätigt als widerlegt worden [51]. Dennoch: Die mögliche Ambivalenz unserer Beobachtung erhellt zumindest die für die Analyse einer parlamentarischen Subkultur prinzipiell notwendige Unterscheidung zwischen legitimen und illegitimen Lernprozessen, die einem um seine politische Wirkung bedachten Abgeordneten im Deutschen Bundestag abverlangt werden. Daß er in seinem neuen Wirkungskreis lernen soll, lernen muß, ist nicht zu bestreiten. Können wir es aber z. B. hinnehmen, wenn er seine politisch bedeutsamen Grundauffassungen revidiert, sei es als Folge selektiver Informiertheit, sei es als Folge des psychischen Drucks, den die Fraktionshierarchie oder die Fraktionsmehrheit auf ihn ausübt? Müssen wir es möglicherweise als Konsequenz eines Wandels zum bürokratischen Parlament hinnehmen?

4. Das Modell eines bürokratischen Parlaments

Es bedarf offenbar immer noch einiger Mühen, um aus dem insgesamt reichlich angewachsenen Angebot nahezu vollständig unkoordinierter Parlamentsforschung einige harte Daten ausfindig zu machen, mit denen das eingangs skizzierte Szenario eines bürokratischen Parlaments geprüft werden kann. Immer noch folgt das wissenschaftliche Bemühen überwiegend dem Ziel, wenigstens das in quantitative Kategorien zu übertragen, was Insider längst wissen (und häufig nicht einmal sich selbst eingestehen wollen) [52]. Von einer Aufdeckung latenter Machtstrukturen und damit der Ursachen des Dies-und-nicht-das-, des So-und-nicht-anders-Entscheidens im Parlament kann vorläufig noch kaum die Rede sein. Immerhin wird die Annahme einer Bürokratisierung des Parlaments auch durch die quantitativen Analysen eher bestätigt als widerlegt. Insbesondere der Sozialisationsansatz scheint dabei wichtige Ergebnisse liefern zu können, weil er dazu

51 Insbes. *Charles G. Bell/Charles M. Price*, Pre-Legislative Sources . . ., a. a. O.

52 Zur Kritik an der jüngeren vergleichenden Parlamentsforschung siehe *Gerhard Loewenberg*, Comparative Legislative Research, in: *Samuel C. Patterson/John C. Wahlke* (eds.), Comparative Legislative Rehavior: Frontiers of Research, New York 1972, S. 3—21.

geeignet ist, parlamentarische Kooperationsstrukturen von ihrer Wirkung nach innen (parlamentarischer Arbeitsleistung und Arbeitsergebnisse) her deutlich zu machen. Beide Merkmale sind unentbehrliche Beweisstücke im Nachweis der Bürokratisierung einer Kooperation, die von der ursprünglichen Idee her egalitär sein sollten [53]. Die folgenden Merkmale einer Bürokratisierung des Parlaments scheinen für den Bundestag zuzutreffen: [54]

1. Eine spezifische Loyalitätsbindung der Abgeordneten gegenüber der Wählerschaft, die im Sinne bürokratischer Kooperation als Befangenheit abgelehnt werden müßte, besteht nicht oder ist zumindest weit weniger begründet als das Wahlsystem, formal betrachtet, vermuten läßt. An ihre Stelle tritt die Loyalität vor allem gegenüber der Partei, was die geforderte Subordination unter das Fraktionsestablishment erleichtert.
2. Die zunehmende Arbeitsteilung ist im Deutschen Bundestag evident, während sie im amerikanischen Repräsentantenhaus wahrscheinlich schon einen Endpunkt erreicht hat.
3. Für die tägliche Mitarbeit wird Sachverstand in Spezialgebieten vorausgesetzt. Sofern ein Abgeordneter nicht schon als Sachverständiger für ein Spezialgebiet „gewählt" wird, d. h. einen sicheren Wahlkreis oder Listenplatz zugeteilt bekommt, hat er in der Ausschußarbeit im Laufe seiner ersten vier Parlamentsjahre Gelegenheit zur Spezialisierung. Introversion und Betriebsblindheit — typische Merkmale bürokratischer Kooperation — erweisen sich als voll ausgeprägt.
4. Ein kontinuierlicher Anstaltsbetrieb, wegen der relativ hohen Fluktuation und wegen der formalen Gleichheit der Abgeordneten an und für sich kaum möglich, wird durch informelle Sozialisation *(Apprenticeship)* der Neuzugänge unter dem führenden Einfluß der bereits sozialisierten Altparlamentarier bei gleichzeitiger Absicherung von Mandaten „bewährter" Berufsparlamentarier durch sichere Wahlkreise oder Listenplätze ermöglicht. Auch wirkt sich die Internalisierung eines starken Willens zur Wiederkandidatur für die Kontinuität günstig aus.
5. Die Verlagerung politischer Entscheidungstätigkeit in die Ausschüsse, die unter Ausschluß der Öffentlichkeit tagen, fördert den Grad der im Parlament möglichen und auch der praktizierten Geheimhaltung. Daß auch

53 *Gerhard Loewenberg*, The Role of Parliaments in Modern Political Systems, in: Ders. (ed.), Modern Parliament: Change or Decline? Chicago 1971, S. 3.

54 Die Merkmale orientieren sich an *Max Weber*, Wirtschaft und Gesellschaft, Tübingen 1956, Bd. I, S. 124 ff.

Parlamentarier mit einer starken Zielorientierung während ihrer *„Apprenticeship"* immer deutlicher für die Nicht-Öffentlichkeit von Ausschußsitzungen eintreten, beweist die Stabilität dieses Prinzips in der Subkultur des bürokratischen Parlaments.

Als einziges wichtiges Merkmal bürokratischer Organisation konnte sich in der Kooperation der Parlamentarier die horizontale und vertikale Ausdifferenzierung von Entscheidungskompetenzen nicht etablieren. Gerade dieses Strukturmerkmal reicht indessen am wenigsten zur Begründung eines prinzipiellen Unterschiedes zwischen parlamentarischer und bürokratischer Kooperation, weil es auf Seiten der Bürokratie durch informelle Machtstrukturen häufig aufgeweicht ist und im Parlament in informellen Machtstrukturen ein Äquivalent gefunden hat.
So scheint der Deutsche Bundestag schon heute genügend bürokratisiert dafür, daß man ihn als bürokratisches Parlament charakterisieren kann. Unsere Überlegungen wären freilich der Anstrengung nicht wert gewesen, wenn sie lediglich in eine Neubenennung münden würden. Tatsächlich interessiert uns der Funktionswandel, der mit der Bürokratisierung zusammenfällt. Wir vermuten ihn weniger in dem Verhältnis zwischen Regierung und Opposition, das dem Parlament in einer Konkurrenzdemokratie immer schon eine Existenzberechtigung gibt [55]. Um so mehr vermuten wir ihn im Verhältnis zwischen den Ausschüssen respektive den in ihnen mehrheitsbildenden Regierungsfraktionen und der Ministerialbürokratie [56].
Wie man weiß, durchzieht der gesellschaftliche Pluralismus die Spitzenebene der Regierungsbürokratie längst in ähnlicher Weise wie er auch die parlamentarische Wirklichkeit bestimmt. Die Fluktuation von Beamten in Spitzenpositionen dürfte derjenigen von Abgeordneten kaum nachstehen, und die jeweiligen Positionen werden unter dem wachsenden Einfluß von Parteien und Interessengruppen rekrutiert. In dem Maße jedoch, in dem die vormals angeblich sachgerecht verfahrende „Staats"-Verwaltung „politisch", d. h. von den organisierten Interessen in der Gesellschaft und von denen der jeweiligen Regierung durchdrungen wird, entfällt das Erfordernis ihrer

55 Daß die Bedeutung dieser Funktion generell zunimmt, beweisen eine Fülle von kleineren Reformen, vgl. z. B. zur Rednerfolge in Plenarsitzungen, *Uwe Thaysen, Parlamentsreform ...*, a. a. O., S. 120, unter dem Datum 9. 3. 1966.
56 Siehe hierzu *Peter Gerlich/Helmut Kramer*, Abgeordnete in der Parteiendemokratie, Eine empirische Untersuchung des Wiener Gemeinderates und Landtages, München 1969, S. 191 ff.

politischen Kontrolle durch das bürokratische Parlament. Dennoch werden zwei prinzipielle Unterschiede zwischen Regierungsbürokratie und Parlament bestehen bleiben:

1. Die *Rekrutierung* der Regierungsbürokratie erfolgt im Rahmen gewisser Rechte auf Gruppenproporz kooptativ durch die jeweilige Regierung, und sie ist in der Regel an Einstellungsvoraussetzungen (abgeschlossenes Studium, Vorbereitungsdienst) gebunden. Für eine Sozialisation liegen deshalb in der Ministerialbürokratie viel günstigere Voraussetzungen vor als im Parlament, dessen Rekrutierung nicht an derartige Voraussetzungen gebunden ist und durch Entsendung erfolgt. Das Gleiche gilt für die Art und Persistenz der organisatorischen Subkulturen [57].
2. Die Regierungsbürokratie ist durch ihren hohen Grad an *Ausdifferenzierung* auf extrem spezialisierte und (dafür) segmenthafte Problemsicht und Entscheidungsvorbereitung angelegt. Sie verliert an Komplexität im Überblick und gewinnt dafür an Komplexität im Detail. Im bürokratischen Parlament ist es umgekehrt. Die begrenzte Anzahl von Abgeordneten setzt der Ausdifferenzierung Grenzen und ermöglicht dadurch einen relativ besseren Überblick über die politischen Probleme [58]. Das Parlament kann daher einen höheren Grad an Integration von nicht konfligierenden Teilinteressen erreichen [59].

57 Eine empirisch untermauerte Kritik an der Theorie der repräsentativen Bürokratie wurde kürzlich vorgelegt von *Kenneth John Meier/Lloyd G. Nigro*, Representative Bureaucracy and Policy Preferences: A Study in the Attitudes of Federal Executives, Paper presented to the Annual Meeting of the American Political Science Association, San Francisco, Sept. 5, 1975.

58 Bezüglich der Grenzen, die vom Repräsentantenhauses offenbar erreicht worden sind, vgl. *Louis P. Westefield*, Majority Party Leadership and the Committee System in the House of Representatives, in: American Political Science Review, Vol. 68 (1974), S. 1593—1604.

59 Vgl. hierzu *Karl Dietrich Bracher*, Gegenwart und Zukunft der Parlamentsdemokratie in Europa, in: Kurt Kluxen (Hrg.), Parlamentarismus, a. a. O., S. 70 bis 87, (Erstveröffentlichung in: *K. D. Bracher*, Deutschland zwischen Demokratie und Diktatur, Bern 1964, S. 382—405). Häufig wird argumentiert, die Abgeordneten bedürften zusätzlicher Hilfsmittel (Bürokräfte, Assistenten, Informationsdienste usw.), um ihre parlamentarische Arbeit wirksamer gestalten zu können. Während eine entsprechende Wirkung vom Einsatz zusätzlicher technischer Hilfsmittel nach wie vor zu erwarten ist, gibt eine neue amerikanische Untersuchung zu erheblichen Zweifeln Anlaß, ob eine bessere personelle Ausstattung von Abgeordnetenbüros gerade der hier geforderten Integrationsfunktion dienlich ist. Siehe *Morris S. Ogul*, Legislative Oversight of Bureaucracy: Explanation, Incentives, Structure; Paper presented to the Annual Meeting of the American Political Science Association, San Francisco, September 5, 1975.

Unter dem zunehmenden Verlust des Legitimationsvorsprunges des bürokratischen Parlaments gegenüber Regierung und Ministerialorganisation wandelt sich die Beziehung beider Organisationen von der eines Souveräns und eines Ausführenden zur Kooperation zweier faktisch teilsouveräner Organisationen, deren eine auf *Entwicklung* isolierter Problemlösungen bei begrenzter Interessenberücksichtigung, deren andere auf die *Modifikation* solcher Problemlösungen bei breiter Interessenberücksichtigung angelegt ist. Insofern ist es nur folgerichtig, wenn das bürokratische Parlament die Gesetzesinitiative an die Regierungsbürokratie „abgetreten" hat und wenn es selbst damit — zumindest äußerlich — den Part (modifizierender) Vollzugsentscheidungen (Schatz) übernommen hat. Der Lernprozeß der Neuparlamentarier verläuft in der parlamentarischen Subkultur folgerichtig in diesem Sinne: Daß der Schwerpunkt ihrer Arbeit bei Gesetzesinitiativen liegen wird, glauben 1969 noch 36 Prozent, 1972 nur noch 23 Prozent der von uns befragten Neuparlamentarier (Tabelle III/9).

Tabelle III/9 *Gesetzesinitiative als parlamentarische Aufgabe*

Frage: Glauben Sie, daß der Schwerpunkt Ihrer Arbeit in Bonn bei der Ausarbeitung von Gesetzesinitiativen liegen wird?
(2. Befragung:) Liegt der Schwerpunkt Ihrer Arbeit in Bonn bei der Ausarbeitung von Gesetzesinitiativen?

Antwort: (1) Ja
(2) Nein
(3) Weiß noch nicht

	Prozente 1969	Prozente 1972
(1)	36	23
(2)	51	77
(3)	13	0

N = 39
Zu-/Abgänge bei (2) = 15/5;
$chi^2 = 5{,}0$; d.f. = 1

Die Kooperation von Parlamentariern und Ministerialbeamten in den Ausschüssen des Deutschen Bundestages und mehr noch in den Unterausschüssen des amerikanischen Repräsentantenhauses zeigt allerdings, daß über das bürokratische Parlament eine teilweise Verschmelzung der beiden Funktionen Entwicklung und Modifikation von Problemlösungen erreicht worden ist, in deren Verlauf die institutionellen Akzente verloren gehen könnten. Das *erste Kernproblem*, das wir hier identifizieren, scheint denn auch angesichts der drohenden Umklammerung des Parlaments durch die spezialisierten und auch politisch versierten Fachbeamten vor allem in seiner Wahrung der breiten Interessenberücksichtigung zu liegen. Anders ausgedrückt: Im bürokratischen Parlament darf die Rolle des Ausschußparlamentariers niemals die Rolle des Fraktionsmitgliedes (bzw. der State-Party Delegation im amerikanischen Repräsentantenhaus) dominieren.

Unsere Untersuchung gibt zahlreiche Hinweise darauf, daß die Entwicklung des Deutschen Bundestages zum bürokratischen Parlament über diese theoretisch zu fordernde Limitierung hinausschreitet. Zu erwähnen ist in diesem Zusammenhang insbesondere die starke Durchsetzung des Parlamentes mit Beamten, die sich die standespolitische Solidarität mit ihren Kollegen ohne Mandat eine unterdurchschnittliche und weiter abnehmende kritische Distanz („Kontrollmotivation") zur Regierungsbürokratie kosten lassen (vgl. S. 131 f)[60].

Die Tendenz zur Bürokratisierung der parlamentarischen Kooperation einschließlich des hier nur grob skizzierten interdependenten Funktionswandels wirft die Frage auf, ob es sich dabei um eine „unentrinnbare" (Weber) Entwicklung handelt, oder ob die Erfordernisse der modernen Industriegesellschaft in unserem Verfassungsstaat eine bislang noch unausgearbeitete politische Alternative zulassen würden. Von einer Beschränkung des Parlaments auf wesentliche Grundentscheidungen ist in diesem Zusammenhang die Rede, auch von Zielvorgaben und von Planungskontrolle (die Möglichkeit eines planenden Parlamentes wird offenbar nicht einmal von Theoretikern in Erwägung gezogen).

Aber schon die Diskussion um die Entwürfe zu Planungskontrollgesetzen, die von den Oppositionen im nordrhein-westfälischen und im rheinland-

60 Mit der Kandidatenaufstellung hat sich die Enquete-Kommission des VII. Deutschen Bundestages befaßt. Zur Rekrutierung des Parlaments aus dem öffentlichen Dienst vgl. u. a. *J. Massengeil*, Beamte als Parlamentarier, in: Zeitschrift für Parlamentsfragen 3/1 (1972), S. 44—51, und „Der Spiegel", Jg. 29 (1975), Nr. 25, S. 40 ff.

pfälzischen Landtag eingebracht worden waren [61], ließ das Dilemma erkennen: Den eigentlichen *Master-Plan,* der in der Tat parlamentarischer Kontrolle bedürfte, gibt es nicht einmal auf Seiten der Regierungen. Was als Plan oder längerfristiges Programm von den Regierungen vorgelegt wird, erschöpft sich häufig genug in unkoordinierten Absichtserklärungen, deren ökonomische, soziologische und technologische Grundannahmen weder ausreichend durchdacht noch zwischen den verschiedenen öffentlichen und privaten Planungsträgern genügend abgestimmt worden sind.

Wenn derartige Absichtserklärungen als Planung etikettiert werden, so darf das nicht darüber hinwegtäuschen, daß es sich in Wirklichkeit häufig nur um taktische Schritte von Interessenten handelt, durch die sie ihre Ausgangspositionen für zukünftige politische Entscheidungen arondieren wollen. Die Entscheidungen selbst stehen noch bevor, keinesfalls sind sie Bestandteil oder etwa Voraussetzung gebündelter Absichtserklärungen. Es wäre deshalb verhängnisvoll, wenn das Parlament derartigen sich häufig widersprechenden „Plänen“ Gesetzeskraft verleihen würde. Die Legalisierung des überzogenen Anspruchsniveaus von Teilinteressen würde den immer wiederkehrenden Prozeß der fiskalischen Abstimmung an die langwierige und aufwendige Novellierung von faktisch interdependenten Plänen binden, jedenfalls das Parlament mit unnötigem Arbeitsaufwand belasten.

Die Neuparlamentarier der VI. Legislaturperiode standen immerhin an der Wiege des sogenannten Programms der inneren Reformen und hatten noch die heftige Auseinandersetzung um die Ostpolitik durchzustehen. Als sie das erste Mal ihren Fuß in den Plenarsaal setzten, bedurfte es keiner großen Voraussicht, die kommenden Kontroversen zu erahnen: 63 Prozent von ihnen meinten denn auch, daß Weltanschauung eine konstante oder gar zunehmende Rolle spiele. Nach getaner Arbeit, nach Parteiübertritten und gescheitertem Mißtrauensvotum und angesichts der Vertrauensfrage mit vorzeitiger Auflösung des Bundestages nahmen sogar 90 Prozent der Neuparlamentarier diesen Standpunkt ein (Tabelle II/4). Doch die Situation war exzeptionell.

Immer deutlicher zeichnet sich die Bedeutung internationaler Kooperation für die sogenannten Lebensfragen der Nation ab. Internationale Rahmenvereinbarungen und Konsultationsverträge, auch der schlichte „Sachzwang“

61 *Manfred Friedrich,* Landesparlamente in der Bundesrepublik, Opladen 1975, liefert eine ausführliche Diskussion hierzu.

einer weltweit verflochtenen Ökonomie setzen den parlamentarischen Grundsatzreden immer engere Grenzen. Wenn dann der Mangel von faszinierenden Alternativen und Kontroversen beklagt wird, muß man, wohl oder übel, an die Gebundenheit auch der parlamentarischen Hände erinnern. Den Parlamentariern selbst ist diese Erkenntnis offenkundig schon bei ihrem Mandatsantritt gereift: Nur 14 Prozent von ihnen glauben noch, daß eine primäre Orientierung ihres Handelns an langfristigen politischen Zielen die Durchsetzungschancen erhöhe, und bei diesem Anteil bleibt es auch bei der Befragung drei Jahre später (Tabelle III/10).

Tabelle III/10 *Spezielle Kenntnisse und Durchsetzungschancen*

Frage: Es gibt ganz verschiedene Arten politischen Wissens. Also etwa Kenntnis von diskreten Vorgängen oder Sachkenntnis. Einige Formen politischen Wissens sind hier auf Karten aufgeführt. Wir möchten Sie nun bitten, diese nach ihrer Wichtigkeit zu beurteilen. Welche Art politischen Wissens ist da am wichtigsten, um sich in der Politik durchzusetzen, was ist weniger wichtig? (Bei der vorliegenden Tabelle wurde nur die erste Nennung berücksichtigt!)

Antwort:
(1) Sachkenntnis auf speziellen Gebieten
(2) Kenntnis des Einflußbereichs wichtiger Personen
(3) Orientierung an langfristigen politischen Zielsetzungen
(4) Kenntnis von diskreten Vorgängen hinter der Bonner Kulisse

	Prozente	
	1969	1972
(1)	36	43
(2)	48	43
(3)	14	14
(4)	2	0

N = 42

So hätte es wohl wenig Sinn, das Parlament der Entwicklung politisch produktiver Initiativen zu verpflichten. Selbst als das noch Sinn gehabt haben mochte, widersetzten sich die jeweiligen Machthaber erfolgreich der Lehre — die Deutschen wissen es aus ihrer leidvollen Reichtagsgeschichte. Statt dessen wird man sich in Zukunft möglicherweise zu der Einsicht durchringen müssen, daß das bürokratische Parlament in der Tat am besten den Erfordernissen einer Zeit entspricht, in der der Sachverstand immer unentbehrlicher, Detailarbeit immer notwendiger wird.

Die Zweckmäßigkeit des bürokratischen Parlaments in der industriellen Gesellschaft unserer Zeit kann allerdings schwerlich als maßgebende Ursache seines Wandels angesehen werden. Sie hat diese historische Möglichkeit eröffnet, ohne sie zwingend zu verordnen. Mit anderen Worten, es muß bei diesem Wandel auch Interessierte gegeben haben, die ihren Einfluß mit der Bürokratisierung des Parlaments vergrößern konnten und sie genau deshalb vorangetrieben haben. Die Gruppe dieser Interessierten dürfte insbesondere im Fraktionsestablishment auszumachen sein. Niemand gewinnt über die Bürokratisierung des Parlaments mehr Einfluß als jene Wenigen, die die Managementfunktionen ausüben und denen aus diesem Grund auch überall dort politische Teilnahmechancen eingeräumt werden, wo der Zeitdruck, die Bedeutung einer Angelegenheit oder das Erfordernis ihrer vorerst diskreten Behandlung die Anzahl der Beteiligten begrenzt. Den Fraktionsführern liegt persönlich etwas an der Hierarchisierung, an bürokratischer Spezialisierung und Arbeitsteilung.
Die Arbeitsteilung steigert den Managementbedarf und damit die Bedeutung des Fraktionsmanagements. Vor dem erheblichen Koordinationsbedarf erscheinen Sanktionen gegen Einzelne und gegen Minderheiten zur Sicherung einer erfolgreich vereinheitlichenden Willensbildung unvermeidlich und deshalb legitim. So wird ein Machtinstrument geschaffen, das in den Händen erfolgreich taktierender Fraktionsvorstände auch einen Abgeordneten zur Räson bringt, der sich nicht freiwillig ins Geschirr legen lassen will. Kein Wunder, daß schon zu Beginn der Legislaturperiode 73 Prozent der Neuparlamentarier gerne andere Leute an der Fraktionsspitze sehen würden, und daß der Prozentsatz trotz mehrjähriger „Kampfgenossenschaft" auch bis 1972 nicht unter 63 Prozent gesunken ist (Tabelle I/27). Fraktionsvorstände sind nicht die Freunde der Neuparlamentarier. Kein Wunder auch, daß die Widerstandskraft der Abgeordneten nachläßt: Die Analyse der sozialpsychologischen Typen hat das mit dem Rückgang der „Kämpfer" von 52 auf 26 Prozent und der gleichzeitigen Zunahme der „Loyalen" und „Mitläufer" von zusammen 48 auf 74 Prozent mehr als deutlich gemacht (Tabelle I/24). So ist auch die Vermutung nicht von der Hand zu weisen, daß die Rolle des einzelnen Fraktionsmitgliedes über autoritäre Führungsstrukturen der Fraktion mehr und mehr zu der eines „Sachbearbeiters" degeneriert [62]. Dabei ist die Rolle nicht einmal unattraktiv: Jeder

62 Insofern ist *Peter Gerlich/Helmut Kramer*, Abgeordnete ..., a. a. O., S. 196 zuzustimmen, wenn sie eine „deutlichere Durchdringung des Fraktionswesen" fordern.

Abgeordnete kann zwar nur in wenigen politischen Teilbereichen und auch da nur im Detail, dafür aber für ihn selbst spürbar auf die Gesetzgebung Einfluß nehmen und sich so — je nach Selbstverständnis — genügend Erfolgserlebnisse sichern.
Wie bereitwillig diese Rolle schließlich akzeptiert wird, zeigen mehrere Daten: Sachkenntnis auf speziellen Gebieten hält eine zunehmende Anzahl von Neuparlamentariern (ex ante 36, ex post 43 Prozent) für die beste Garantie der Durchsetzung eigener Vorstellungen (Tabelle III/10). Qualifizierung in fraktionsinternen Arbeitskreisen oder fachliche Spezialisierung erscheinen sogar ex ante 64, ex post 73 Prozent der befragten Neuparlamentarier als maßgebend für die Verteilung von Ausschußsitzen (Tabelle III/11). Die bereitwillige Übernahme der zudiktierten „Bürokratenrolle" hat freilich auch ihren Preis: Das Fraktionsmanagement selbst muß sich bei personellen Fragen zurückhalten. Der Anteil jener Neuparlamentarier, die sich von „guten Beziehungen zum Fraktionsvorstand" eine maßgebende Hilfe bei der Zuteilung eines gewünschten Ausschußsitzes versprechen, schrumpft von anfangs 30 auf schließlich 9 Prozent (Tabelle III/11).

Tabelle III/11 *Kriterien für die Vergabe von Ausschußsitzen*

Frage: Nach welchen Kriterien, meinen Sie, werden die Ausschußsitze innerhalb der Fraktion vergeben? Könnten Sie diese Karten bitte in der Reihenfolge ihrer Wichtigkeit ordnen? (Bei der vorliegenden Tabelle wurde nur die erste Nennung berücksichtigt.)

Antwort: (1) Fachliche Spezialisierung und/oder Qualifizierung in fraktionsinternen Arbeitskreisen
(2) Gute Beziehungen zum Fraktionsvorstand
(3) Sonstiges

	Prozente 1969	Prozente 1972
(1)	64	73
(2)	30	9
(3)	6	18
	100	100

N = 33

In Anbetracht dieses Tatbestandes können wir das *zweite Kernproblem* des bürokratischen Parlaments folgendermaßen charakterisieren: Indem sie die

Teilnahme an politischer Filigranarbeit erzwingt, absorbiert die Bürokratisierung den Teilnahmewillen der Parlamentarier an dem grundsätzlichen Teil politischer Entscheidungsprozesse, insbesondere also an der Identifikation politisch zu behandelnder Probleme (Non-Decision) und an der Entscheidung über die Reihenfolge, in der die identifizierten Probleme behandelt werden sollen — was angesichts der knappen politischen Ressource Konsensbildung häufig einer Entscheidung zur Nicht-Behandlung gleichkommt.

Die Folgen der Entwicklung zum bürokratischen Parlament sind allenthalben spürbar. Vor allem wird immer deutlicher, daß sich das Organ Deutscher Bundestag mehr und mehr zur Institution mit zunehmender Autonomie und mit eigenen Bewegungsgesetzen verselbständigt. Seine Wurzeln reichen kaum noch direkt in die Wählerschaft, weil seine internen Strukturen für die begleitende Kontrolle von Regierung und Ministerialorganisation optimale Wirksamkeit versprechen und deshalb im Widerspruch zur Abgeordnetenrolle des *Delegate* gegenüber einer regionalen Wählerschaft stehen. Der politische Einfluß lokaler und regionaler Interessen wird primär durch die Selbstverwaltungsorganisationen und durch Verbände vermittelt — den bürokratisch spezialisierten Parlamentarier überfordert diese Vermittlungsrolle zunehmend. Er ist auf die Hilfestellung dieser Organisationen, aus denen er folgerichtig häufig hervorgeht, angewiesen. Auch bedarf er der Massenmedien, deren Kritikfähigkeit gegenüber diesen Organisationen für ihn ebenso unentbehrlich ist wie ihre Artikulation nicht- oder unterorganisierter Interessen. Die starke Beanspruchung der Abgeordneten durch das bürokratische Parlament hat die politischen Funktionen dieser Organisationen und Institutionen zwangsläufig gesteigert. Die Aufmerksamkeitsschwelle des bürokratischen Parlamentariers zum Volk hin wird durch sie gesetzt, nicht durch den Parlamentarier selbst. Ihre Rolle nähert sich immer mehr der einer intermediären Öffentlichkeit, und ihre Funktionsfähigkeit wird damit zum *dritten Kernproblem* eines bürokratischen Parlaments.

Die Erwägungen der Enquête-Kommission Verfassungsreform des VII. Deutschen Bundestages zu einer möglichen Beteiligung der Wählerschaft an der Kandidatenaufstellung erscheinen deshalb auch eher als ein kosmetisches Bemühen, das, wenn es je in Gesetzesnovellierungen münden wird, noch mehr Präsenz der Abgeordneten in ihren Wahlkreisen verlangen wird [63]. Die empirischen Analysen zeigen, daß ein Anlaß zur Hoffnung auf

63 Enquête-Kommission des VII. Deutschen Bundestages, Kommissionsprotokolle der 9., 10., 12. und 13. Sitzung, Kommissionsdrucksachen 099, 122, 127, 143.

eine stärkere Unmittelbarkeit der Wählerrepräsentation beim bürokratischen Parlament nicht besteht, auch nicht bei derartigen Reformen.
Vom Standpunkt des bürokratischen Parlaments aus betrachtet liegt es näher, sich die Frage zu stellen, ob das Direktmandat bei dem derzeitigen Stand der Bürokratisierung überhaupt noch zeitgemäß ist; ob es nicht den Schein liberaler Repräsentation aufrecht zu erhalten versucht, obgleich der Funktionswandel des Parlaments diese Art von Repräsentation längst ausgehöhlt hat; ob sein politischer Nutzen in Gestalt zeitaufwendiger und überwiegend nutzloser Selbstdarstellung der Abgeordneten nicht längst die politischen Kosten unterschreitet, die durch die erzwungene Diskontinuität seiner bürokratischen Spezialistenarbeit im Bundestag entstehen. Insofern ist die Frage hier nicht, ob Bedürfnissensibilität geopfert werden könnte, damit sich die Bürokratisierung des Parlaments vervollkommne, sondern ob darauf verzichtet werden könnte, den Schein einer schon lange nicht mehr existierenden Bedürfnissensibilität aufrecht zu erhalten, damit die bürokratischen Spezialistenfunktionen im Rahmen parlamentarischer Zielsetzungen wirksamer wahrgenommen werden können. So zynisch dieser Gedanke vor dem Hintergrund einer liberal-konservativen Parlamentarismustheorie erscheinen mag, so zwingend ist er angesichts der Entwicklung zum bürokratischen Parlament.
Ungleich wichtiger als diese Korrektur erscheint jedoch eine grundlegende Revision der parlamentarischen Organisationsstruktur. Als Kontrollorgan mit dem Schwerpunkt Interessenintegration müssen sich die Kooperationsmuster deutlich von denen der Ministerialorganisation abheben. Führungsfunktionen müssen auf ein Minimum beschränkt bleiben, damit eine gleichberechtigte Kooperation in Fraktionen, Ausschüssen und Arbeitskreisen möglich bleibt, in der der einzelne Abgeordnete die Interessen jener intermediären Öffentlichkeit, der er sich verpflichtet fühlt, voll zur Geltung bringen kann. So gilt es insbesondere, seine persönliche Bindung an die Parteiorganisation (der er sein Mandat verdankt) gegen den sanktionierenden Zugriff der Fraktionshierarchie zu schützen. Freilich: Jene, die über Reformen dieser Art den vermutlich entscheidenden Einfluß ausüben, dürften das geringste Interesse daran haben. Das eben ist das Dilemma der parlamentarischen Subkultur.

Aus der Reihe problemata

Heinz Walter (Hrsg.)
Sozialisationsforschung I-III

Band I: Erwartungen, Probleme, Theorieschwerpunkte

Band II: Sozialisationsinstanzen, Sozialisationseffekte

Band III: Sozialökologie – neue Wege in der Sozialisationsforschung

Die Aktualität des Themas »Sozialisation« täuschte bislang leicht über den ungeklärten Standort der verschiedenen Konzeptualisierungen des Einflusses sozialer Umwelten auf die Persönlichkeitsentwicklung hinweg. Die vorliegende Trilogie stellt für den deutschen Sprachraum das bislang umfangreichste Sammelwerk zum Thema Sozialisationsforschung dar und gibt so die Möglichkeit einer klaren Einordnung. Die in ihr versammelten Beiträge – es handelt sich durchweg um Erstveröffentlichungen – stellen eine kritische Bestandsaufnahme sozialisationstheoretischer Bemühungen und der empirischen Forschung dar, die diese Bemühungen begleitet.

Andrea Abele, Stefan Mitzlaff, Wolf Nowack
Abweichendes Verhalten
Erklärungen, Scheinerklärungen und praktische Probleme

Dieser Sammelband bietet eine Einführung in den Problem- und Forschungsbereich abweichenden Verhaltens und zugleich neue Forschungsergebnisse. Die einzelnen Beiträge sind Erstveröffentlichungen, verfaßt entsprechend dem Konzept des Bandes: exemplarische Befunde aus Psychologie, Soziologie und Medizin sowie kommentierte Statistiken im Licht eines theoretischen Entwurfes vorzustellen und zu problematisieren.

Bernhard Badura
Sprachbarrieren. Zur Soziologie der Kommunikation

Die vorliegende Untersuchung erörtert Probleme sprachlicher Kommunikation. Sie analysiert den Zusammenhang sprachlicher und nichtsprachlicher Faktoren, die Verständigung zwischen Personen oder Gruppen erschweren oder verhindern. Die Arbeit konzentriert sich daher auf die Beschreibung und Erklärung der Prozesse des Nichtverstehens und Mißverstehens.

Bernhard Badura & Klaus Gloy (Herausgeber)
Soziologie der Kommunikation
Eine Textauswahl zur Einführung

Die mit der Problematik vertrauten Herausgeber unternehmen in diesem Band eine im deutschen Sprachraum längst fällige Einführung in die moderne Kommunikationssoziologie. Zu diesem Zweck wählten sie neben klassischen Beiträgen (Hovland, Katz u. a.) insbesondere neuere Arbeiten aus, um sowohl den interessierten Laien wie auch den Fachwissenschaftler mit grundlegenden empirischen und theoretischen Problemen dieser neuen Wissenschaft bekannt zu machen.

Hartmut Wasser
Parlamentarismuskritik vom Kaiserreich zur Bundesrepublik

Dieser Dokumentation und Analyse geht es um ein zentrales politisches Problem. Der Verfasser zeigt die Kontinuität der Argumentation von links und rechts für und wider die parlamentarische Regierungsform bis zu den aktuellen Positionen gegenwärtiger Politik.